你是北極星

きみはポラリス

三浦紫苑——著 林佩瑾——譯

永無完成之日的兩封信

所謂的孽緣，

是不是就像擺得再久仍勉強能吃的納豆呢？

儘管內心希望它趕緊歸於塵土，

它仍然頑強地繼續發酵。

在一個冷得細菌幾乎無法生存的嚴寒午後，某人粗暴地敲打公寓大門。

「喂，岡田~你在家吧？」

狹窄的廚房裡，瓦斯爐上正煮著一鍋泡麵，當白色的細微泡沫即將溢出鍋緣時，岡田打了個蛋下去。確認鍋裡一切安好後，他打開大門。

「慢死了！」

寺島良介一如往常地強硬入內，卻不忘將鞋子脫下、放妥。

「幹嘛？我正要吃飯耶。」

岡田回到鍋前，關火加入調味料。此時，寺島逕自將三坪房間裡的墊被推到角落、坐在榻榻米上，收拾小矮飯桌的雜物。

岡田捧著小鍋從廚房走到房間，機靈的寺島趕緊將漫畫雜誌鋪在矮飯桌上充當鍋墊，然後偷瞄對面的鍋子說道：「看起來好好吃喔。」

「我只剩這包囉。」

「呃，我肚子不餓啦。」

「幹嘛？」

「嗯？」

「你找我有事吧？」

「嗯。」

寺島從帶來的紙袋中取出剛買的信紙與信封，都是淡藍色的。只見他伸手擦擦矮飯桌，畢恭畢敬地抽出一張信紙。

「岡田，拜託你教我寫情書！」

這傢伙又來了……岡田邊想邊吸麵條，寺島見狀怒罵：「喂喂，湯汁都噴出來啦！」

「這是誰的房間？」

「……岡田勘太郎的房間。」

「我不能在自己的房間吃泡麵嗎？不爽就別來。」

寺島以手臂遮住信紙，安靜下來。

「你真的很濫情耶。」岡田吹涼麵條，順便嘆了口氣。「這次又是哪個女的？」

「粉領族。」

「這詞也太老派了吧。在哪裡認識的？」

「聯誼。」

「你又去聯誼喔！我不是叫你別再去嗎？每次你一去，就跟蒼蠅一樣兩三下就被黏住！」

「我又不是故意的，誰教我朋友硬拗我陪他一起去！還有，我猜你想酸人家是捕蠅紙，但是這個詞也很老！老到掉牙！」

一陣短暫的沉默降臨在房間裡。寺島靜不下心地挪挪左腳又挪挪右腳，最後說道：

「欸，這次不一樣啦。洋子小姐很善解人意，我真的很喜歡她。」

「那很好啊，你愛談幾次戀愛都是你的事。」

「認真聽我說啦。」

「我在聽啊。話說回來，你幹嘛寫信？」

「因為我想傳達自己的心意……」

「你不會打電話、傳簡訊或直接見面告白喔！這年頭還寫什麼情書，只會讓人家臉上三條線啦！」

「只有情書才能表達我的心意！」

「你這個連報告都寫不出來的人，在講什麼屁話啊？」

「所以我才來拜託你啊！」

「囂張個頭！」

岡田氣呼呼地站起來，將小鍋重重摔在流理檯，粗魯地走過寺島身旁，撿起榻榻米上的香菸盒。將一口煙深深吸進肺裡後，他總算稍微拾回冷靜。

「寺島，你也想想看至今給我添了多少麻煩。見一個愛一個，等到人家對你動真情，你又嚇得拔腿就跑。每次你一跑，每個人都跑來找我抱怨耶。『岡田先生，你跟寺島很熟吧？』總不能因為我是你從小到大的玩伴，就要我幫你擦屁股吧？」

「我絕不會辜負洋子小姐！我對她是真心的。」

寺島垂眼凝視著一片空白的信紙，窘迫地說道。

所謂的孽緣，是不是就像擺得再久仍勉強能吃的納豆呢？儘管內心希望它趕緊歸於塵土，它仍然頑強地繼續發酵。岡田實在無法對這個表裡不一的窩囊男人見死不救。

他從摺起來的墊被下找出菸灰缸，把菸熄掉。

「好啦，我幫你就是了。」岡田再度回去和寺島圍桌而坐，寺島頓時眉開眼笑。

「謝啦。我覺得寫情書這招啊，對洋子小姐絕對有用！」

「為什麼？」

「因為她快三十歲了，人又很文靜。」

「你這就叫做『偏見』。」

「嗯嗯，」寺島心不在焉地應道，「借我原子筆。」

寺島一邊朗誦，一邊寫下文句。

「『內村洋子小姐：你好嗎？前幾天玩得很開心。今天，在下一定要透過信紙向你傳達一件事情，那就是——』」

「等一下。」岡田馬上就聽不下去了。「什麼『在下』啊，有沒有搞錯。噁心死了，不准用！」

「那我要怎麼自稱？」

「就跟平常一樣用『俺』就好啊。」

「太粗魯了吧？」

岡田聽得煩死了。「那你乾脆用『小生』好啦。」寺島聞言，隨即在「在下」上頭打叉，改成「俺」。

「你用一下立可白會死啊？」

「這只是草稿，沒關係啦！」

「……你到底想在我房間賴多久？」

寺島的耳朵深諳「馬耳東風」之術，抗議只會化為一陣風吹過他的耳殼，絕對抵達不了他的腦髓。

「『前陣子聽了你的心事後，俺想了很多。俺一直在想，是不是能為你分憂解勞。』」

「寺島、寺島。」

「嗯？」

「為了保險起見，我稍微問一下。『前陣子聽了你的心事』，到底是什麼心事？」

「洋子小姐現在過得很辛苦呢。」寺島擱下原子筆，抬起眼來。「洋子小姐的爸爸過世得早，她跟弟弟是由媽媽一手拉拔長大的。她媽媽現在因病住院，工作跟照顧媽媽的事已經夠她忙了，她弟弟的小店卻在這時倒閉，還有人上門來討債呢。」

「那一定是她瞎掰的啦。」寺島的愚蠢仍然令人嘆為觀止——不過也不是第一次了。

「你疑心病很重耶。洋子小姐幹嘛騙我？這樣對她有什麼好處？」

「如果她那麼忙，哪可能悠悠哉哉地參加什麼聯誼啊？什麼老梗悽慘身世嘛。」

「我想想喔，對了，搞不好她接下來就會跟你借錢繳學貸喔。」

岡田本以為寺島又要生氣了，不料他卻笑道：

「那也沒關係啊。總而言之，不管洋子小姐說什麼，我都相信。」

「寺島老弟，聽我說一句公道話。你這樣不叫戀愛，叫做信教好嗎。」

岡田盡可能地對他曉以大義，然後又吸起香菸。他根本沒耐心陪他聊這些。

寺島再度振筆疾書。

「『可是，俺並不是為了你才這麼做，只是想為你盡份心力。這都是為了你。』」

「越寫越混亂囉。」

寺島聽不進岡田的指正，繼續埋頭猛寫。

「『一想起你，俺就覺得……』欸，岡田，什麼時候會讓你覺得惆悵？」

「吃完美食的時候。」

「這是情書耶，你就沒有別的意見嗎？」

我幹嘛非得對你掏心掏肺，把自己的心事都講出來？想歸想，但寺島正滿懷期待地等著答案，岡田只好姑且思索一番。

「我想想喔……我正沿著鐵路漫步，時間是傍晚。」

「嗯。」

「幾輛電車從我旁邊呼嘯而過；透過車窗，我瞥見許多踏上歸途的人，但轉瞬間又離我遠去。車內燈火通明，相當靜謐，而我腳下的城鎮也很寧靜，唯有電車在暮色畫出光束，承載著人們呼嘯而去。每當這種時候，我總覺得莫名惆悵。」

寺島略低著頭，雙肩不住顫動。

「笑什麼啊。」

「沒有啦，我沒有笑，真的。」

「你明明就在笑！」

「我沒笑！」寺島猛拍矮飯桌，終於和岡田對上視線。「抱歉，我笑了一下。」

語畢，他開始放聲大笑。

「因為啊，平常你總是給人『非黑即白，沒有灰色地帶』的印象，卻說『呼嘯而過的電車令你感到惆悵』，怎麼想都很好笑啊。只要是認識你的人，聽了剛才的話一定會笑成一團。」

像寺島這種粗枝大葉又遲鈍的白痴，怎麼可能了解每個人對惆悵的不同定義？早知道就不說了。岡田很後悔；當初是看他哭著哀求才答應幫他的，什麼態度嘛。

「夠了，給我滾。」

寺島聞言，旋即觸電般地正襟危坐，打直腰桿繼續寫信。

「『一想起你，俺就好像看見許多人搭上穿越夕陽的電車一般，覺得好惆悵。』」

「聽不懂你在寫什麼！文筆真爛！」

「話不能這麼說啊……還不是剛才惆悵那部分你講太長了。」

「你好歹改成『一想起你，俺就覺得心頭莫名惆悵，令俺聯想起見到電車車窗的燈光穿越暮色那一刻。』」

「喔～」

寺島乖乖修改自己的文章。他垂眼凝視信紙，表情十分純真；恍如陷入沉睡，又像是正在解一道難解之謎。

岡田叼著菸，將視線從寺島身上移開。白色的煙霧，在狹窄的房間天花板一帶飄蕩。

「『為什麼呢？俺覺得納悶。這一星期以來，俺一直思索著這件事。』」

房內再度迴盪著寺島的咕噥聲。

「『然後，俺終於懂了。其實俺一直喜歡……』哇咧，我寫不下去啦！太肉麻了！」

「喂，不要把筆尖弄壞啦。」寺島的手抖個不停，力道大得幾乎把信紙戳破。

「你又不是在寫戰帖。」

「為什麼你冷靜得下來啊！」寺島開始胡言亂語了。

「我看起來很冷靜嗎？」

「對啊。」

「是喔。答案很簡單，因為你寫的是你的情書，而不是我的。」

「『其實俺一直喜歡你。俺非常喜歡你！』」

寺島似乎豁出去了。他一口氣把重要的部分寫完，深吐一口氣。

「寫完了？」

「還沒啦，你幹嘛一副很想趕我走的樣子。啊，難道說你女友要來？」

「沒有。我現在沒女友，明知故問。」

「『這陣子你被許多事情折磨得疲憊不堪，而且還說自己有點寂寞。』」

寺島繼續寫信，然後說：「我知道啊。」

「再怎麼說，岡田你都很有女人緣，所以我還以為你交了新女友呢。」
「今天我打算在家洗衣打掃。」
「儘管去啊，不過要等我把信寫完。對了，你也來寫信嘛。有沒有喜歡的女孩？」
「我哪有辦法見一個愛一個啊。」
岡田喜歡殘酷的快感，因此，偶爾也想裝傻狠狠傷害別人；既然寺島在無意間殘酷地傷害他，他也要以其人之道還治其人之身。
「我覺得你一天到晚掛在嘴上的『喜歡！』，跟我心中對於戀愛的定義，好像完全不一樣耶。」
寺島沒有反駁，沉默良久。天色漸暗，岡田起身拉下日光燈的開關，然後到廚房清空菸灰缸，再順便倒茶端過來。這段時間內，寺島一直若有所思地默默望著信紙，連茶杯也不拿。岡田無事可做，只好兀自抽菸，抽到第三根時，寺島終於開口。
「欸欸，再怎麼說，你也抽太凶了吧！」
「這是我房間耶。」
「信紙會沾上菸味啦！」
寺島將攤在矮飯桌上的信紙和信封整疊收到榻榻米上，似乎想盡量讓它們遠離菸味。接著，他一口飲盡差點冷掉的茶。
「我自己也心知肚明。見一個愛一個，代表我其實每個人都不喜歡。有時我會覺得害怕，擔心自己會不會孤老終生。」

「借問一下。」如果放著寺島不管，恐怕他會陷入自怨自艾的泥沼，於是岡田只好向他提問。「那你說，怎麼樣才不算『孤老終生』？」

「那當然是……」

寺島陶醉地讓視線游移於日光燈拉繩一帶。「比如和洋子小姐結婚生小孩，然後一輩子幸福在一起啊。儘管有時會爭吵，在公司也會遇到不如意的事，可是只要我一回家，家裡總是燈火通明。到了聖誕節，洋子小姐還會在前門裝飾發光的聖誕老人玩偶，還有掛著小燈泡的聖誕樹。」

「我講一句實在話，那根本是惡夢嘛。」難道是吸太多菸了嗎？岡田頭開始痛了。「雖然我早就心裡有底，但你這男人還真無聊耶，難怪每個女友都交不久。」

「反正我這個人就是無聊啦！我會一個人打光棍到死啦！這樣你開心了吧。」

「我會一直陪在你身邊的。」

「咦？」

「下一句。『俺會一直陪在你身邊的』。好啦，快點寫。」

「喔，嗯。」

寺島將老後的煩惱拋在腦後，再度將精神集中於眼前的戀情。「『俺會一直陪在你身邊的。俺想跟你在一起。如果你不嫌棄，下次能不能跟俺出去玩呢？水族館怎麼樣？前陣子俺跟朋友去逛水族館，覺得很有趣……』」

看來，情書暫時還不會寫完。玩不下去了。岡田真的玩不下去了。

菸灰缸再度堆滿菸灰。外頭已一片漆黑。

暖爐裡的紅色火焰開始搖曳不定，於是岡田先關掉開關，接著倒入煤油，用打火機點火。大拇指快燒焦了。房內洋溢著溫暖的氣味。

寺島正在睡覺。他趴在矮飯桌上睡著了。光是打個草稿，就把他搞得筋疲力盡。

岡田從寺島胳膊下拈起幾張信紙。字歪七扭八的，重寫的痕跡一大堆。

回頭重讀一遍後，他笑了。

「這傢伙真是個白痴啊。把水族館的事情寫得這麼詳細，去了還有意義嗎？」

岡田將信紙收妥，放回矮飯桌。

寺島的髮稍沾了小小的菸灰。他小心翼翼地以手指撥掉，宛如對待易融的雪花。

寺島，我的信，永遠不會有寄出的一天。

它只會悄悄地寫在我心田，彷彿永不停歇的呢喃。

岡田坐在窗邊，凝視著這名沉睡的男子。然後，他將窗戶微微打開一條縫，點燃最後一根香菸。

來自肺部的煙霧與氣息交錯成白色的難解文字，畫出一條條通往冬季夜空的軌跡。

直到最後一縷輕煙融化在黑夜中，岡田都不曾離開窗邊。

這是一個籠罩著清冷空氣的嚴寒日子。

永不背叛

我絕對不會背叛你們，

因此你們儘管放心去愛別人吧。

即使被背叛、即使受傷，也要勇敢地愛人。

——再不趕快回去，就來不及享受幫勇人洗澡的樂趣了。

我懷著這樣的想法從公車站一路快步衝回家，卻目睹了驚人的一幕。

惠理花竟然跪在地上，將勇人的小雞雞含在嘴裡。

剛洗完澡的勇人，對這樣的舉止完全不以為意，如常開心地伸伸腿又彎彎腳。惠理花放開勇人的小雞雞，端詳著勇人的臉蛋，優雅滿足地微微一笑；緊接著，她又若無其事地將爽身粉拍在勇人光溜溜的身體上。

儘管庭院中的樹木能提供遮蔽，但惠理花怎能在面對馬路、燈火通明的客廳搞這種事？我打從心底感到後悔，即使再急，自己也不應該意圖從外廊直接進入客廳。面對一個吸吮嬰兒小雞雞的妻子，我還能面不改色地繼續愛她嗎？

想歸想，我仍然躡手躡腳地往後一退，從玄關喊著「我回來了」進入家中，並且心癢難耐。又氣又驚的我，到頭來還是將這份情緒轉化為性衝動，我真不知道該稱讚自己，還是該對自己感到傻眼。

或許是我最近工作太忙了吧？方才那一幕，有沒有可能只是過於疲勞所造成的幻覺呢？

我慢條斯理地脫鞋，此時惠理花朝玄關探出頭來，笑著說道：「你回來啦。」

「很可惜，勇人吵著要洗澡，所以我已經先幫他洗過囉。」

客廳籠罩著微微的熱氣與濕氣，空氣中混合著小嬰兒跟牛奶香皂的香氣，十分香甜。

「這樣啊。抱歉，沒幫上你的忙。」

我無法直視惠理花，只好拉著她的手，圍著勇人坐在地上。穿著毛巾質地的睡衣躺在地上的勇人，仰望著我們發出一聲：「啊～」

「他在歡迎你回來唷。」

惠理花百般憐愛地戳戳勇人的臉頰。換成平時的我，也會欲罷不能地撫摸、凝視勇人，但今晚我實在忍受不了。

「欸。」我環住惠理花，解開她的圍裙繩結。

「哎，小健，你怎麼了？」

惠理花訝異地掙扎，連聲說道：「還沒吃飯呢。」「我不想在這裡做。」但最後還是放棄掙扎。

「真是的，勇人在看啦。」

「放心吧，小嬰兒看不懂啦。」

他能看懂最好！我察覺到自己心中掠過這個念頭，難不成我在吃醋？至於當事者勇人，起初還笑呵呵地看著自己的父母推來擠去，最後也不耐煩地扭動手腳，逐漸睡去。

太好了，我兒子真好應付。

完事後，我整理著凌亂的衣服，一邊想著：萬一生了第二個孩子，晚上我可得去打工了，否則生活費會不夠用。惠理花在廚房邊哼歌邊將味噌湯端到客廳；湯碗熱氣蒸騰，宛如一座活火山。把味噌湯煮到沸騰是惠理花的壞習慣，不過我餓到前胸貼後背，所以還是乖乖就座。

「他還真能睡啊。」

「今天我帶他出去散步的時間稍微久了些，他大概累了吧。」

「散步？勇人又不會走路。」

「光是去外頭看看，就能帶給小寶寶很好的刺激喔。」

我瞥了勇人一眼，和惠理花面對面吃飯。

惠理花吃到一半突然說道：「對了，我都忘了。」然後擱下筷子，從冰箱取出一小碗涼拌螢火魷。

「每次我在超市看到這個，總忍不住買回家。」

「你很喜歡吃這個嘛。」

「嗯。」

惠理花津津有味地咀嚼螢火魷。我若無其事地別開視線，不去看她的嘴。我總覺得螢火魷的形狀，好像有一點類似嬰兒的小雞雞。

惠理花的行為實在令我在意得不得了，於是隔天我決定不著痕跡地問問公司同事。不過，這問題茲事體大，若是被當成性騷擾可就慘了。該問誰才好呢？我慎重地檢視營業所的每一個人，最後的結論是：打工族柏崎太太應該是最佳人選。她比我足足大上十歲，而且個性直來直往，又是個媽媽，肯定能依照經驗給我一些建議。午休時，我開口向她求救。

很幸運地，其他人不是去買便當就是去跑業務，在這小小的營業所內，只有我跟柏崎太太兩人。

「柏崎太太，你有小孩對吧？」

「對啊，有兩個。」

柏崎太太一手拿著三明治，一手迅速地整理收據。

「你舔過嗎？」

「什麼？」

「當他們還是小寶寶的時候。」

「岡村，你沒舔過嗎？」

被她這麼一問，我反倒不知該如何回答。柏崎太太停止整理收據，注視著我。

「嗯，算是有吧。」

「對吧？誰不想舔小寶寶？像我家老公啊，他還會嚷著『好可愛唷～』然後全身上下舔個不停，真夠頭疼的。」

原來是這樣啊！我暗暗一驚。勇人確實很可愛，但我可沒舔他舔得那麼過火——大概吧。

「不過現在啊，我的小孩還會對他說『我討厭爸爸』，不肯跟他一起洗澡，搞得他老淚縱橫呢。啊哈哈。」

聽到這兒，我注意到咱們兩家有一點大不相同。

「是令嬡嗎？」

「對啊，我們家兩個小孩都是女生。」

什麼嘛，那就沒辦法當成參考啦。我管爸爸怎麼對待女兒？我不想知道柏崎太太的老公有多麼溺愛女兒，只能相信他對女兒的感情並沒有超越父親的範疇——而我也不得不信。

換成是我，如果生了女兒，或許也會比對待勇人更愛舔她、疼愛她，但我能觸摸女兒的「那裡」嗎？如果不摸，就無法幫她換尿布，然而一定會害羞或心生抗拒，永遠都無法習慣這檔事。這是很容易想像的。

我想知道的是：母親如何對待親生兒子。

柏崎太太見我默不吭聲，便一口吞下三明治，略顯擔憂地問道：

「怎麼啦，岡村。產後憂鬱症？」

既然到了這個節骨眼，我也只能打破沙鍋問到底了。我必須問問其他人的意見，來鑑定惠理花的行為是否在合理範圍內。我鬆開盤在胸前的雙手，下定決心提問。

「不瞞你說，我看見我老婆……她——呃，該說是舔還是吸呢，總之她把兒子的那個放到自己嘴裡。怎麼樣？柏崎太太，如果你有兒子，會想對他做這種事嗎？」

我一口氣說完，頓時有點喘不過氣，於是稍微拉鬆領帶。

或許是被我激動的態度嚇到了吧？柏崎太太仰靠在辦公椅的椅背上，然後——

「這個嘛，我應該會想含含看吧。」她不假思索答道。

「真的嗎！」

「因為你想想嘛。」

柏崎太太再度面向桌子，整理收據。「小寶寶的那個不是很可愛嗎？況且還是自己的孩子呢。我想只要是生了兒子的媽媽，大多會想含含看吧？」

「我想應該不是吧……」

早知道就不問柏崎太太。不過，我是不是該高興不是只有惠理花有這種想法？連我自己都搞糊塗了。

「岡村，你小時候一定也被令堂舔過啦。」

柏崎太太低頭呵呵笑道。

我不能接受。難道只要長得可愛，就什麼都能舔？我暗自抗議，悄然離席。

從以前開始，我就很難理解許多女性對異性親屬表達情感的方式。

高中時交往過的那個女生，是個超黏哥哥的妹妹。我稱讚她新買的運動錶「很不錯」，她卻回答我：

「這是我求哥哥買給我的對錶，是生日禮物。」

「你生日過了？」

我大吃一驚。身為男友的我，居然錯過這重要的日子？

「不是，是我哥哥的生日。」

聽她這若無其事的語氣，我又暗吃一驚。為什麼明明是哥哥過生日，卻是由哥哥買對錶給妹妹？兄妹倆喜孜孜地戴上同樣的手錶，不覺得有點奇怪嗎？

這個女生在聖誕節送我錢包，送時還不忘加一句：「這是我哥陪我去挑的。」我簡直不知該如何反應才好。

「你不覺得你們兄妹倆感情好得有點異常嗎？」我問。

「會嗎？我們感情是很好沒錯啦。」

她一副滿不在乎的樣子。我很訝異，為什麼她能對有血緣關係的異性家人如此全心全意地信任呢？

大學時交往的女生，她劈頭就問我：

「岡村，你有姊姊嗎？」

我說自己只有哥哥。

「太好了。有姊姊的男人啊，動不動就把姊姊掛在嘴上。」她說。

我笑著說：「沒有這回事吧。」她卻強調：「絕對會。」

不過，這個女生有弟弟。從跟她的對話中，我可以窺見她喜歡對弟弟管東管西。什麼跟什麼啊？

我時常耳聞母親溺愛兒子的案例。大部分的男人都會覺得這樣的媽媽很煩吧？

除此之外，男人們的女性親屬（妹妹、姊姊、祖母或母親）總是喜歡圍著他們加以疼愛、信賴，將他們當成玩具。「爸爸好煩喔。」「你這孩子真笨。」儘管女人們嘴上不饒人，但她們顯然對於男性親屬毫不設防。

是因為不把他們當作性對象，所以才能如此鬆懈嗎？假如沒有血緣這層保護膜，女人就無法對男人敞開心胸嗎？

若真是如此，豈不是有點空虛？不管是男人，或是女人。

我之所以對女人與男性親屬間的相處模式神經兮兮，是有原因的。

小時候，我曾經遇過一對奇妙的老夫妻。每每想起他們，我總會暗自思索：那到底是怎麼回事啊？

我和惠理花結婚當然是因為喜歡她，此外，我也希望藉由結婚成為一家人，使惠理花對我完全卸下心防——就像世界上的女人們對待男性親屬一樣。結果我吃癟了。

結婚兩年來，惠理花仍無法全心信任我這個人。

同床共枕兩年多，我們在彼此面前不再客套、百無禁忌，因此問題並不在於我的個性或外遇，而是在更深層、靈魂、本能或皮囊下的某處，惠理花仍然將我當成「外人」。

正由於我是外人，才能跟她結為夫妻，這是理所當然的道理。即使如此，我仍覺得很不甘心，想也想不透。

勇人出生後，更加深了我的疑惑。

為什麼女人對有血緣關係的男人如此信賴有加、寬宏大量，對於其他男人卻戒心強得近乎冷漠？

無論如何信賴對方，只要彼此有血緣關係，那個男人都絕不可能變成自己的人啊。況且從其他女人眼中看來，那男人也只不過是一個必須提防的「外人」罷了。

真搞不懂這種習性。

一年到頭，總有些瑣碎繁雜的事情需要大樓管理公司處理。

除了建築物的定期維護及設備定檢，若住戶抱怨滿地鳥糞，員工也必須抱著防鴿網（名為「防鴿大師」）親赴現場；若有人跳樓自殺，則必須加高屋頂護欄，以安撫住戶的情緒——總之可謂神通廣大，三頭六臂。

在公司的政策之下，各營業所一一捲入縮編合併的風暴之中，如今只有我們這間營業所負責散落縣內各處的所有物件。儘管已度過春季搬家潮，工作量仍沒有減輕多少。

由於長期人手不足，平常就已忙得人仰馬翻，不料此時又冒出一個大麻煩。縣內北部某棟大樓的玄關鑰匙出了差錯，起因於兩名小學生。

住在同一棟大樓的A小弟與B小弟，當天開開心心地一起放學回家。A小弟在電梯內摸索書包，這才發覺自己忘了帶鑰匙出門。每逢母親出外打工，A小弟只能自己帶鑰匙進出大樓，這樣下去，他恐怕得等到母親返家才能進家門。

怎麼辦？A小弟垂頭喪氣，此時B小弟提出了一個建議。

「放心啦。我有帶我家鑰匙，只要用這把鑰匙開你家的門就好啦。」

小孩子的想法真無厘頭。因為我們住在同一棟大樓，所以你家的鑰匙應該跟我家的鑰匙一模一樣——他們對此深信不疑，毅然執行大人想也想不到的計畫。

而糟糕的是，B小弟家的鑰匙真的打開了A小弟家的門！

A小弟和B小弟的雙親知道此事後大吃一驚，而接獲通報的我們更是嚇得下巴差點掉下來。不用說，全住戶的門鎖形狀都是各不相同的。

應該是哪裡搞錯了吧？負責該大樓的製鎖公司員工馬上前往調查，結果孩子們所言不假。明明是型號、溝槽形狀皆不同的兩種鎖，B小弟家的鑰匙卻打開了A小弟家的門；附帶一提，A小弟家的鑰匙無法打開B小弟家的門。

很不巧，我剛好是負責管理那棟大樓的人。我立即著手更換全住戶的所有門鎖，該大樓共有三棟，總計五百戶以上。

然而，大樓的住戶自治會無法就此滿足，他們想查明真相，而我也是。

這回，住戶們要求製鎖公司調查是否有其他鑰匙互通。從各戶拆下來的鑰匙和門鎖在製鎖公司的倉庫角落堆得和山一樣高，一個門鎖得試插五百把以上的鑰匙，而這樣的動作得重複五百次以上。

我們僱用工讀生沒日沒夜地趕工，而且連我也加入戰局，因為不能放著工讀生不管。到頭來，我已經不想再看到任何凹槽或突起，右手腕還得了腱鞘炎。

我在昏暗的倉庫裡頭將鑰匙插進鎖裡，腦中不時浮現惠理花的嘴唇含著勇人小雞雞的景象。每憶及那一幕，我就會心神不寧地想著「我老婆到底在搞什麼啊」，甚至還會懊悔當初沒看得更仔細些。

有家歸不得的這一星期，我覺得寂寞得不得了。

兒子現在只會哭、睡跟笑，壓根還記不得我的臉吧？惠理花一個人照顧小寶寶，應該也累得焦頭爛額，真希望她不會因為太累，又對小寶寶做出什麼奇怪的事。

我好想念他們。明明只是短短一星期，我卻孩子氣地擔心如果再見不到惠理花跟勇人，自己會不會被他們排擠。這種感覺，就像短暫的春假結束後重新編班，自己卻因發燒而無法出席開學典禮；就像見不到想念的朋友，自己躲在被窩裡擔心他們會不會棄自己而去。

這麼一想，我才驚覺原來惠理花跟勇人在我心中占有重要的地位。

這種認為某物難以取代的心情，我已經好久沒有體驗到了。小學時央求父母買給我的腳踏車、樹林中的祕密基地，我對它們抱著一份獨特的情感，不想讓任何人觸碰。

說到惠理花和勇人與腳踏車、祕密基地之間的不同處，在於他們倆並非我回憶中的寶物。我不光是重視他們，也希望他們能同樣地重視我。

這麼簡單的事情，我卻等到結婚生子後才察覺。我在布滿灰塵的倉庫中想著，原來所謂的「愛」，就是指「重視的現在進行式」啊。

當然，這只是我的想法，而惠理花怎麼想又是另外一回事。

我實在很想見他們一面，於是爭取了一點時間回家拿換洗衣物。惠理花一如往常地抱著勇人出來迎門，殷切地說道：「這陣子還是會很忙吧？」「不要熬夜，否則小心傷身喔。」但是基本上，她似乎根本沒把我放在心上。

無論是她的視線、指尖或情感，一律只向著勇人。那些噓寒問暖的話語猶如蜘蛛絲般一扯就斷，只是客套話罷了。

在勇人出生前，惠理花一心只向著我。以前我只要稍微晚回家，她就會說：「我好擔心喔，還以為你出了什麼意外呢。」但是勇人一出生，我的地位就降為「說擔心是有點擔心啦，但放著不管也不會怎樣」。

真現實啊，我不知該傻眼還是該笑。儘管如此，我對惠理花和勇人的愛依然不變。雖然覺得惠理花對勇人有點偏心，但我不可能懷疑惠理花對自己的愛，只好摸摸鼻子想著：認命吧。

以結論來說，除了Ｂ小弟家的鑰匙能打開Ａ小弟家的門之外，所有的鑰匙都只能打開與其配對的鎖。事情的真相，就是在機率極低的偶然狀況下出現了一把「瑕疵鑰匙」。

我寫好報告，和製鎖公司的員工一同拜訪所有住戶，低頭賠罪。

營業所的同仁知道這起由小孩的突發奇想所引發的大風波後，紛紛對我投以同情的目光，但最後我的心情卻是愉快的。

說不定Ａ小弟跟Ｂ小弟前世曾經談過一場轟轟烈烈的戀愛呢！等Ｂ小弟長大成人後，或許該買張樂透看看喔。

本該無人知曉的某種重大祕密因緣，被某人發現了。

這種感覺近乎神聖。所謂的鑰匙與鎖頭，真是深奧。

假如真有宿命，這就是宿命。

這兩道鎖與能打開兩道鎖的一把鑰匙，被我當作工作紀念收下了。收是收了，一時之間也想不到要將它們放在哪裡，只好擱在偶爾用來通勤的汽車副駕駛座上。

勇人學會挺脖子了。

嬰兒的頭看起來實在不小，做家長的看著小寶寶的腦袋東搖西晃，總會嚇得心跳漏一拍。現在脖子挺了，不只能跟勇人玩飛高高，也可以讓他坐在腿上吸奶瓶，堪稱多了幾項樂趣。

勇人躺在地上的模樣像極了大福。他會使勁揮動發音玩具，有時用力過猛還會打到自己的臉，哇哇大哭。這景象令我百看不厭，總忍不住笑道：「跟從前的無聊搞笑短劇一樣嘛。」不過，惠理花一聽見勇人的哭聲就會即刻奔來，將他抱起來哄。

「爸爸好壞心眼喔，怎麼可以取笑你呢。」她一邊對勇人說話，一邊衝著我調皮一笑。

解決鑰匙問題後，我的平日夜晚多出許多空閒。我幾乎每天都是下班直接回家，從不與人小酌或夜遊，連電視也不常開。光是陪著勇人，就夠我消磨時間了。

不過，小寶寶是很早睡的。一到晚上八點，惠理花就會關掉臥室的燈，哄勇人睡著。勇人會在深夜哭上好幾回，一哭就得餵奶，幸好他不大難搞，喝完奶就會滿意地睡去。惠理花的母乳量並不多，因此其中一回會由我泡配方奶餵他。

「你是個好爸爸嘛。」柏崎太太說道。跑完業務時已耽擱了些許午休時間，我回到營業所想休息一下，發現公司只剩下柏崎太太一個人。

「哪像我家老公啊，半夜睡得跟死豬一樣。他只在有空時才會疼女兒啦。」

「我不討厭照顧嬰兒啦。」

不僅如此，我還懷疑自己根本很適合照顧嬰兒。無論是半夜被哭聲吵醒，或是小寶寶隨地大小便，我總是照顧得樂在其中。

「只是，好父親跟好丈夫似乎是兩碼子事。」

我吃著便利商店的便當說道。柏崎太太聞言，旋即將視線從電腦螢幕移開，抬起頭來。

「哎呀哎呀，怎麼啦？」

「我老婆不大願意跟我上床。」

打從我目睹惠理花的驚人之舉，我便已跟柏崎太太談心數次，早就百無禁忌了。

勇人吃飽睡著後，我如釋重負地躺在惠理花旁邊。躺著躺著，有時也會想稍微摸摸惠理花，反正勇人至少還會再睡兩小時。然而，惠理花顯然興趣缺缺。起初我以為她是氣我剛回家就在客廳壓倒她，但看來並非如此。

我最近學會忍耐了。「一當上父母，心態也會成熟許多。」營業所的所長經常語重心長地將這句話掛在嘴邊，難道是指這檔事嗎？我不禁空虛地揣想著。

「這是正常的啦。」柏崎太太的語氣像是面對一個不懂世事的幼稚園生。「她現在意識到自己是個媽媽，你別太猴急，給她一些空間吧。」

我本想說「我哪有猴急」，卻仍點點頭說：「這樣啊。」

夕子姊週末來我們家玩了。

我本來打算開車去車站接她，怎料洗車時卻聽見有人喊道：「岡村先生！」回頭一看，夕子姊居然站在門外，頓時心頭一震。我將洗車用的水管擱在地上，趕緊開門。

「你大可打電話給我啊。」

「沒關係啦，坐計程車快多了。」

她還是一樣我行我素。夕子姊逕自打開玄關門，一看到出來查探狀況的惠理花便說：

「你整天都閒閒待在家裡呀？一天到晚顧小孩，你不膩嗎？」

夕子姊在縣政府工作。惠理花早年喪父，因此惠理花跟她哥哥是由夕子姊一個女人拉拔長大的。或許正因為如此，夕子姊實在看不慣惠理花賦閒在家。

「不會啊。況且我喜歡待在家裡。」

「說是這樣說，萬一你想離婚時怎麼辦？如果沒有收入，到時就別想自由囉。」

夕子姊邊說邊從惠理花懷裡抱走勇人。

「呃，現在還不需要擔心那個啦。」

我從中打岔，但她已經沒在聽了。

「勇人，你變重了耶。啊～我的腰好痛，抱不動了。」

語畢，她又把勇人丟還給惠理花。被當成行李般丟來丟去的勇人高聲笑著，而我跟惠理花則相視苦笑。

我們在客廳的沙發上坐定，哄著勇人閒話家常。每當我去泡咖啡或站在廚房準備晚餐的食材時，夕子姊總不忘說一句：「惠理花真是找到了好老公呢。」

「平常我才沒那麼勤快呢，都是丟給惠理花一個人做。」

我難為情地老實招認，只見夕子姊心領神會地瞇起眼來，呵呵一笑。

這麼一說我才想起，夕子姊同時養過兒子跟女兒呢。我決定提出掛念許久的問題。

「夕子姊。」夕子姊不喜歡我叫她岳母，每次都會擺臭臉。「在母親心目中，兒子的地位是特別的嗎？」

「那還用說。」

「不，我的意思是『是否比女兒特別』。」

我家的小孩只有我跟我哥，因此問我媽也沒用。

「這個嘛，兒子是比女兒特別沒錯。」夕子姊說道。

「媽，你好過分喔。」惠理花笑了。

「生了兒子跟女兒的媽媽，八成都會這樣回答吧。」夕子姊屈身撿起勇人掉在地上的布球。「跟小孩可不可愛沒有關係，反正就是會這麼想。」

「媽媽可是很寵哥哥呢。」

惠理花並沒有語露不滿。她接過夕子姊撿起的球，在勇人面前揮呀揮的，那表情才真是洋溢著「嬌寵」。

夕子姊吃下我花費三小時熬煮的紅酒燉牛肉。儘管惠理花勸她留下來過夜，她仍堅持要叫計程車。我趕在她叫車前自告奮勇說要載她，畢竟我可不想讓丈母娘認為我是個不機靈的男人。

哄勇人入睡的時間到了，因此惠理花留下來看家。我本以為夕子姊會坐在後座，不料她卻打開副駕駛座車門，納悶地看著座位上的鎖頭跟鑰匙。

「啊，把它們隨便推到旁邊就好。」

這個人真是難以捉摸。夕子姊把鎖頭跟鑰匙擱在膝上，坐進車裡。

夜幕低垂，山巒與天空融為一色。繁星點點，大馬路上車輛稀少。

「你覺得兒子把你老婆搶走了？」

夕子姊冷不防問道。我思索片刻，這才明白她想知道我剛才提問的動機。

「沒這回事。」我搖搖頭。不是這樣的。

「我在小學四年級之前，一直住在I鎮。」

那是一個比這裡偏遠許多的小城鎮。那兒在日暮前宛如天堂，有河川、田園與樹林，我跟朋友幾乎每天都玩得不亦樂乎。得到寶貝腳踏車、製造祕密基地，都是在I鎮發生的事。然而，不管白天玩得多麼開心，天色一暗就得回家。我討厭回家，討厭黑夜，因為家裡的氣氛實在糟透了。當時我老爸在外偷情，時常跟媽媽大吵特吵，而且也很少回家。

比我大六歲的老哥好像知道大人之間發生了什麼事，而我卻只是惶惶不安地問著：「為什麼最近爸爸跟媽媽老是吵架？」

每次父母在客廳一開罵，我就無法安心看電視，只能到隔壁的前園家借看電視。前園夫婦大概八十好幾了吧？老婆婆叫多惠子，老爺爺叫喜一，他們夫婦倆住在一棟小小的屋子裡，似乎膝下無子。

有些人會讚美某些老人家「年輕時一定很漂亮」，但多惠子婆婆的年紀並沒有降低她的風韻，仍然是美人胚子。她氣質出眾，跟鄉下小鎮一點都不搭調。幼小如我，覺得叫她「老婆婆」實在怪彆扭的——不過我還是稱呼他們「老婆婆」、「老爺爺」。

我長大後問了媽媽，這才知道前園夫婦並非I鎮當地居民，而是喜一爺爺退休後想住在空氣清新的地方，他們才搬過來的。這是他們的對外說法。

多惠子婆婆個性有點古怪，完全不把小孩當小孩看。這一帶的老人家可是把每個小孩都當成孫子看待呢。

左鄰右舍都知道我爸媽感情不好，因為到哪兒都聽得到他們的爭吵聲。或許是同情吧，有人一看到我就給我糖果，而我也知道背地裡說我們家閒話的人，就跟給糖果的人一樣多。

多惠子婆婆從不會這樣對我。她不會亂給我糖果，也完全不說閒話。當我打開前園家的玄關門，她只會淡然笑道：「今晚吵得真凶啊。」

前園家的客廳光景，至今仍歷歷在目。夏天他們會敞開木製落地窗，冬天則有在煤油暖爐上頭冒著熱氣的茶壺。

客廳的正中央有一個小小的矮飯桌，喜一爺爺總是在上頭單手托腮看電視。每當我一進房間，他就會靜默地微微點頭，不管我轉到哪一台都沒有怨言；多惠子婆婆則會坐在旁邊，時而用鮮豔的絲線做傳統刺繡，時而喝茶。

某一晚，我看著漂流者[1]的節目，一邊問多惠子婆婆：

「什麼是偷情？」

多惠子婆婆一面看報，一面搖著扇子說道：

「大概就是背叛自己立下的海誓山盟吧。」

---

1 原為日本樂團，後成為以演出短喜劇聞名的組合，簡稱取日語名字頭三個字「ドリフ」。成員有志村健和加藤茶等人。

「喔？」

雖然聽不太懂，但聽起來好像挺酷的，我想。「我媽打電話跟朋友聊天時，曾經說過：『世上沒有男人不偷情』。真的嗎？」

多惠子婆婆瞟了一眼在一旁默默剪趾甲的喜一爺爺。

「當然還是有男人不偷情呀。煞有介事地嚷著『沒有那種男人』的人，只是還沒遇到專情的男人罷了。你說對吧？喜一。」

多惠子婆婆咯咯笑道，而喜一爺爺只是聳聳肩。我從沒聽過母親直呼老爸的名字，所以覺得怪怪的，心想：原來老婆婆跟班上的女生一樣，都會直呼男生的名字呀。

「可是呀。」

多惠子婆婆用握著扇子的手指背部輕敲矮飯桌的邊緣。她的手指既細又白，彷彿乾燥的無節枝椏。

「你媽媽還算幸運呢。如果她真的遇上專情的男人，那可就糟啦。」

「為什麼？」

「專情的人啊，一旦移情別戀，就再也不會回心轉意啦。會偷情、會稍微拈花惹草的丈夫，相較之下還比較能令人安心，而且也比較好應付。」

我納悶地偏偏頭。

「你怎麼還聽不懂呀。」多惠子婆婆微笑道。「我不知道該下什麼結論，總之你媽媽還有很多重新開始的機會啦。畢竟她若是遇上專情的男人，才沒有什麼『下一次機會』呢。她只能拋下一切全心接納，或是全力逃跑，就這兩條路。這可是很辛苦的喔。」

喜一爺爺的剪趾甲聲，為熱鬧的電視聲打著拍子。我再度乖乖點頭稱是，望向映像管。實際上，我根本聽不懂多惠子婆婆在講什麼。

「直到冬天，多惠子婆婆才告訴我她的祕密。」

我來不及在燈號轉紅前過馬路，只好暫且停車。

田地正中央的十字路口視野良好，放眼望去空無一車，但我還是得遵照紅燈的指示靜止不動，想來真有點滑稽，也有點尷尬。夕子姊在副駕駛座把玩鎖頭，兩個鎖頭在夕子姊掌中發出細微的金屬摩擦聲。

「吃晚餐時，我媽對我說：『我跟爸爸可能會離婚。』我爸已經一星期沒回家了。老哥壓低嗓子說：『是喔，隨便你。』我也跟著點點頭，但其實我有點難過。」

回到我們兩個小孩的房間後，我跟老哥一句話也沒說。老哥讀起漫畫雜誌，而我則坐在地板上隨意打發時間。我媽待在樓下，但樓下悄然無聲。

我耐不住家裡的沉默，遂穿上風衣起身。老哥問我：「你要去哪裡？」我回答：「我要去看電視。」「看個電視幹嘛穿風衣？」老哥說道。

既然老爸不在家，我大可在家裡看電視，然而我卻直奔下樓，從玄關奪門而出。冷風從山間吹來，飄向後方的白色氣息，在微暗的夜色中清晰可見。前園家燈火通明，我卻提不起興致過去，徑自信步走向河畔。

這條小河的水量並不多，與白天相同，遵循固定節奏將地面一分為二；每遇岩石或高低差，水聲便產生變化。我蹲在河畔傾聽水流聲。天氣很冷，而我又是個沒耐心的小學男生，因此我認為自己當時肯定沒待多久。

「小朋友該睡囉。」

我聞聲回頭一看，原來是多惠子婆婆。前園夫妻聽我媽和老哥說了我的事，於是也擔憂地出來找我。

多惠子婆婆見我遲遲不起身，索性也蹲在我身旁。她穿著一身黑衣，圍著灰色披肩；橋邊的路燈照耀著多惠子婆婆的側臉，儘管她滿是皺紋，皮膚卻白皙柔嫩。

「你賭氣也沒用呀。」

我默不吭聲，多惠子婆婆只好嘆氣。一條睡昏頭的魚躍上河面。

「我的媽媽從前也跟你媽受過一樣的苦喔。喜一出生的那一天，她對我說：『多惠，媽媽幫你生下絕對不會背叛你的人囉。』」

「……咦？」

「你今晚倒是一點就通嘛。」

多惠子婆婆將下巴埋在膝上的胳膊間，從旁端詳著我。「喜一是我的弟弟。我們是同父同母的姊弟。」

「有這種事嗎？」

夕子姊第一次打斷我的話。

「天知道……」

我正想將方向盤切向通往車站的道路，夕子姊卻悄悄觸碰我的胳膊說：「故事還沒說完吧？」我筆直往前駛去，沿著車站周邊環繞。

「根據多惠子婆婆的說法，她跟喜一爺爺最初都是跟別人結婚，也擁有各自的家庭。」

「可是，戰爭把一切都燒光了。」多惠子婆婆說道。「我的家、丈夫、喜一的老婆、小孩，全都無一倖免。」

戰爭結束後，數次受召服役的喜一爺爺，回到了呆呆望著斷垣殘瓦的多惠子婆婆身邊。

「一夕之間失去家人，我一直茫然不知所措，連悲傷都感受不到。可是，一看到喜一，我就頓時心生喜悅，心想：『總算能跟他獨處了。』我跟喜一馬上就離開那座城鎮。我們拋下故鄉，決定前往一個沒有人知道我們是姊弟的地方。」

「好奇怪唷。」我說。平靜地道出往事的老婆婆，在我眼中成了不知名的怪物。

多惠子婆婆望向黑暗的河流。

「很奇怪吧。可是對我跟喜一而言，從前的生活更是奇怪。我們一直互相喜歡，我媽也對我們的關係睜一隻眼閉一隻眼。我們自知不能太明目張膽，但我結婚時，心底卻隱約想著：『為什麼對方不是喜一呢？』」

小健——多惠子婆婆呼喚著我。這是她第一次叫我的名字，八成也是最後一次。

「我想說的是，你絕對不能背叛他人。既然你現在很難過，覺得你媽媽很可憐，你就必須成為一個專情的男人。很簡單啦，一旦遇到好對象，只要拋下一切，把自己奉獻給她就好。」

我們回去吧——多惠子婆婆把我拉起來。她那乾燥又冰冷的指尖，緊緊地握著我的手。走到我家門口時，多惠子婆婆說：「今晚我告訴你的事情，你千萬別說出去喔。」她的笑顏，令我聯想起朋友完成祕密基地時的表情。

「她只是鬧著你玩的吧？」

夕子姊在副駕駛座盤起胳膊。

「或許吧。」

每當憶起那一晚，我心頭總湧起一股奇妙的感覺。「可是，我突然想到：一般人看到住在同一個屋簷下的同姓男女，通常都會認為他們是一對夫妻。但是，兄弟姊妹也是同姓啊。說不定這世上有很多人跟多惠子婆婆和喜一爺爺一樣，低調地憑藉著血濃於水的情感共同生活。」

「就像這兩個鎖頭？」夕子姊說道。我一看，夕子姊膝上的兩個鎖頭，竟在不知不覺中打開了。

兩個型號不同的鎖頭。乍看之下很相像，擺出「我們是不同個體，我們毫無關係」的姿態，其實卻被相同的祕密維繫在一起——能藉由同一把鑰匙打開的祕密。這個祕密，名為血緣。

他們向世人隱瞞真相，眼中只注視著彼此。如果多惠子婆婆和喜一爺爺的關係是一種宿命，這樣的宿命也太孤單了。

當然，多惠子婆婆的愛肯定是她自己的選擇，她也完全不引以為恥，但是我想她一定察覺到了。

他們確實是註定要在一起的。多惠子婆婆跟喜一爺爺被刻意養成一對相愛的姊弟，這全是他們那個被丈夫背叛的傷心母親一手造成的。

因此，多惠子婆婆才會告訴我該如何才能不迷失在愛情的迷宮中，以及該如何才能不使自己心愛的人迷惘。

「我沒有姊姊或妹妹，跟媽媽之間也沒有那種執著，所以實在搞不太懂。看著惠理花跟勇人，不禁令我想起多惠子婆婆說過的話。」

「我看你果然很擔心老婆被兒子搶走嘛。」夕子姊說道。

「或許吧。」我再度回答。

「然後呢，怎麼樣？你能當一個專情的男人嗎？」

「我也不知道耶。老實說，我沒什麼信心。」

但我打算努力一試。我要努力讓惠理花相信除了安全的「男性親屬」之外，我這個「外人」也是值得信賴的男人；我必須讓惠理花明白，我絕不會背叛她，也不會傷害她。

我將車子停在車站前的圓環。夕子姊搭著車門內側的門把，轉過頭來。

「雖然這跟縣政府的工作沒有直接關聯，不過我有門路喔。要不要我幫你查查那對夫婦的戶籍，看看他們是什麼人？」

說不動心是騙人的，但我還是鄭重地婉拒了夕子姊的提議。

我目送夕子姊消失在剪票口的另一端，返回來時路。

有一件事情，我沒有告訴夕子姊。

在那之後，我目睹了非常美的一幕。

多惠子婆婆在初春時倒下，被救護車載走。深夜時分，我在被窩裡豎耳傾聽駛近鄰家、然後又伴隨慌亂的氛圍遠去的救護車警鈴。

多惠子婆婆在鎮上唯一的綜合醫院（其實也只是棟小建築物）約莫住院一個月，喜一爺爺幾乎每天都搭著公車去探病。我常常看到喜一爺爺挺直腰桿，提著紙袋沿著河岸道路而行；每當喜一爺爺看見我，總是一如往常地默默點頭。

有時，我會在放學後順道去醫院探病。我媽似乎下定決心後就滿足了，那陣子變得相當平靜。這麼一來，反倒是我爸變得緊張起來，開始懂得回家了。

聽我說完家裡的現況後，躺在病床上的多惠子婆婆皺起魚尾紋笑道：「這樣啊。」然後要我吃她枕邊的橘子跟蘋果。此舉並非把我當成孫子般疼愛，只是她自己不大有食慾罷了。

待會兒，她一定會假裝自己已經吃過，對喜一爺爺說：「很好吃。」即使多惠子婆婆住院，她仍不忘好好梳理、盤起那一頭銀髮。

某日午後，我前往多惠子婆婆的六人病房，在門口停下腳步。房內只有多惠子婆婆跟喜一爺爺兩人，床邊窗簾半掩，春天的暖陽從窗口灑落。

我看不見多惠子婆婆的臉，只見喜一爺爺坐在床邊的圓椅上，閱讀從醫院販賣部買來的週刊雜誌。我知道自己絕不能出聲，但也無法移開自己的視線。

「喜一。」

多惠子婆婆沉靜地說道。她的細白指尖，摸索著床單上緣。

「我要留下你先走了。」

讀著雜誌的喜一爺爺抬起頭來，悄悄握住多惠子婆婆的手。

「沒關係啦。」我頭一次聽見喜一爺爺的聲音，沙沙啞啞的，語氣意外粗魯。「反正我也活不久了。」

我緩緩往後退去，在醫院走廊上奔跑。背上的書包發出咔噠咔噠的聲響，我直直衝到外頭，在公車站調整呼吸。他們兩人握手的那一幕深深烙印在我眼底，揮之不去。

山頂的雪尚未融盡，多惠子婆婆就死了。我跟媽媽、哥哥相偕參加隔壁的簡樸葬禮，喜一爺爺在鄉親面前淡淡地致詞道：「亡妻多惠子生前承蒙各位鄉親關照。」

新學期開始前，由於老爸工作的緣故，我們離開了I鎮。大約一年後，喜一爺爺的死訊傳到我們耳裡，我媽發了弔唁電報。在那之後，我們幾乎不再提起曾疼愛過我的「隔壁的前園夫婦」。

——反正我也活不久了。

正如喜一爺爺所言，他很快就終結了獨居生活。

就算現在知道他們是姊弟或夫妻，又能怎麼樣呢？

他們哪兒都去不了了。

多惠子婆婆要我保守祕密時的表情；在春天的病房中靜靜握手的兩人，我只要擁有這兩幕如夢似幻、烙印在記憶中的美麗剪影就夠了。我是這麼認為的。我終於能這麼想了。

我一將車子停入車庫，惠理花便急著出來迎門。

「怎麼這麼晚才回來？我還擔心你在哪裡出了什麼意外呢。」

「抱歉。勇人呢？」

「他已經睡囉。」

我們進入臥室，並肩凝視著安詳入睡的兒子。

「小健，我問你喔。你為什麼要問媽媽比較重視我還是哥哥？」

我問的不是比較重視誰，而是誰的地位比較特別——我正想開口，卻發現惠理花憂心忡忡地看著我，只好作罷。

「我只是有點不安啦。」

「為什麼？」

惠理花的臉湊得更近了。客廳射進來的燈光，清楚照耀著她認真的眼神。

「小健，我看你這陣子真的很累，如果有心事就說嘛。」

「這個嘛……可以的話，我希望你不要再含勇人的小雞雞了。」

「你什麼時候看到的！」惠理花往後一退。

「難道你做了好幾次！」我不禁大叫。

「噓——」

惠理花尖聲說著，窺望勇人的睡臉。

「來，你過來一下。」

惠理花攫著我的手臂，將我拉到客廳。「小健，你真的很壞心眼耶。為什麼不說一聲？」

「我傻眼得忘記出聲啊。萬一勇人染上怪癖怎麼辦？」

「什麼怪癖不怪癖的。」

儘管惠理花嘀咕了幾句，仍逼我坐在沙發上，自己也坐在我身旁。她看著我的臉噗哧一笑。

「真是的，你不用瞎操心啦。我只是看他可愛，才稍微舔一下而已嘛。」

惠理花見我不吭聲，又說：

「好啦好啦，我知錯了，下次不敢了。小健，你該不會是吃醋吧？」

「才沒有咧。」

我稍微撒了個謊。

「你真傻呀。」

惠理花在沙發上抱起雙膝，依偎在我肩上。「喏。」我在褲子的口袋中摸索，將放在車上的鎖頭跟鑰匙遞給惠理花。

「這是什麼？」

「這很適合給勇人當玩具吧？」

「他現在還不會開鎖啦。你從哪裡拿來的？」

我娓娓道出這陣子忙於工作的原因。「喔？居然有這種事呀。」惠理花感嘆著打開兩道鎖。「啊，真的耶。」她笑了。

今晚她會不會有興致呢？我想。算了，不必著急。儘管我還想要再擁有一個小孩，但也無須急於一時。

跟公司租來的房子雖然老舊，我卻住得很開心，惠理花跟勇人也很快樂。這個家跟前園夫婦的家似乎有點相似；舊歸舊，卻住得安穩，住得滿意。

接下來生個女兒也不錯——我的胳膊感受著惠理花的體溫，一邊如此想道。這回或許會換惠理花吃醋，但我知道自己該如何應對，所以不必擔心。

我絕對不會背叛你們，因此你們儘管放心去愛別人吧。即使被背叛、即使受傷，也要勇敢地愛人。我想，今後自己應該會以這樣的態度面對親愛的家人。

朝朝暮暮，至死方休。

我會遵守承諾，永不變心。正如多惠子婆婆所言，這點其實很簡單。只要惠理花、勇人跟勇人未來的手足需要我，那便是我的幸福，也是我的喜悅。

我們做過的事

為什麼人在談戀愛時，
能確定那就是「愛」呢？
它沒有明確的字面定義，亦沒有形體，
人卻生來就能明白何謂戀愛。

午餐時間一結束，廚房就閒了下來。

藏在櫃台內側的小型液晶電視正播著重播的老連續劇，老闆看得津津有味，連客人喊著「不好意思」也無動於衷。沒辦法，我只好勉為其難去招呼客人。地板打蠟打得晶亮，因為老闆不甘心被黑心商人所騙，買了一罐三萬圓的地板蠟，便決心用它個痛快。

古橋先生坐在灑著陽光的窗邊席。他趁著我抵達他座位前攤開菜單，再三思考該點些什麼。

這是古橋先生的一貫作風。他總在午餐離峰時段出現，入店前先仔細看過門口板子上的「本日午餐」，接著入座喝水，一邊打開菜單重新檢視菜色，然後趁著店員過去為他點餐前進行菜單最終審查，以防自己點錯。

我聽聲音就知道來者是古橋先生。說「勉為其難」簡直是自欺欺人，其實我開心得不得了。古橋先生略微伏首認真思考午餐的神態，真是迷死人了。

我故意從古橋先生背後靠近他，透過T恤的領口窺見他的鎖骨；若是輕輕含住他的鎖骨，接著再以柔軟的舌頭舔舐，肯定很舒服吧。

「可以點餐了嗎？」

我站在桌旁出聲，古橋先生抬起頭來。

「『春季高麗菜鯷魚義大利麵』，是指裡頭只有春季高麗菜跟鯷魚嗎？」古橋先生問道。

他的嗓音穩重又低沉，這樣的人也會在公司大吼大叫嗎？那麼在公司以外的地方呢？真好奇他是否也會醉醺醺地在電車中大聲嚷嚷、引吭高歌。

古橋先生總是獨自吃午餐。他習慣一邊讀文庫版小說一邊用餐，從封面插畫推測，他讀的大概是科幻作品。他用餐讀書時實在太過安靜，我不禁猜想他搞不好是個舌頭跟長頸鹿一樣長的草食性外星人，只是假裝成地球人罷了。

不過，古橋先生比較像肉食性動物。我回答「是」，結果他說「真不巧」。

「那我要點『三種起士醬』義大利寬麵。」

看來，比起當季食材，他更喜歡卡路里。想必肚子餓了吧？待會多給他一些麵好了。

我再度回答「是」，臨走前忍不住又看了古橋先生的鎖骨一眼。我催促埋頭看電視的老闆將副餐沙拉端過去，接著把寬麵放入鍋中，仔細看顧麵條。

我是不是欲求不滿呢？

答案應該是否定的，證據就是：我對老闆的鎖骨一點興趣也沒有。唯有古橋先生的鎖骨，莫名吸引著我。

然而，我跟他遲遲無法更進一步。

這裡以前是熱愛咖啡豆的老闆辛苦經營的茶店兼快餐店。老闆的家人抱怨店裡入不敷出、無法貼補家計，正巧車站前即將重新開發，他遂決心將此處改裝成現代風格的咖啡廳。被雇來當廚師的我，也隨著這次變動被迫改變料理路線，將「薑燒豬肉定食」改成「青醬番茄義大利麵」，「嫩煮牛筋蓋飯」改成「法式牛肉蔬菜湯」。

客人增加了，以前茶店兼快餐店的常客卻不來了。唯一的例外就是古橋先生，只有他一如既往地天天來吃中餐。我總覺得自己去幫他點餐時，古橋先生似乎比老闆親自出馬時緊張多了。

說不定古橋先生也對我有意思？或許他正在思考除了菜單之外，還有沒有什麼話題能找我攀談。若真是如此，不知該有多好呀。

但是，我跟他終究無法更進一步。我心底那塊被踐踏得堅如磐石的土地，正逐漸向外擴張。

過了午夜十二點，我終於訂完隔天的食材，得以回到公寓。

這陣子美紀子經常擅闖我的住處。今天我又在圍牆邊看到熟悉的黑色輕型汽車，一打開玄關門——果不其然，美紀子對我說了聲：「你回來啦。」

「朋代，幫我泡咖啡啦。」

當我正在燒水時，美紀子站在廚房抽油煙機下面抽菸。

「你不能戒菸嗎？」

「戒不了啊。」

我的房間淹沒在白布中。美紀子說她家有菸臭味，於是將尚未完成的婚紗帶來我的住處。我們倆夜夜埋首縫針補線，終於在裙襬縫上仿珍珠，可是頭紗還得加上白色絹絲刺繡；好不容易完成了，這回又得用鮮花製作捧花。

再過不到一個月，就是美紀子的婚禮。我不能讓她穿著半成品婚紗上陣，於是硬拖著被工作累垮的身體為她做牛做馬，但今晚的美紀子顯然缺乏集中力。

「你也差不多該談談戀愛了吧？」

美紀子在流理台中把菸捻熄，冷不防說道。原本正將熱水倒入杯中的我，驀然停止動作。

「你說的戀愛是指這個嗎？

『田村，我希望你能更改一下這份資料的某些部分。』

『是的，課長。』

我接過文件，發現上頭的便利貼寫著：『今天晚上七點，老地方』。

『我明白了。』

課長和我相視而笑……你是指這個嗎？還是說……

『交往邁入第三個年頭，我的他竟然訂下能在聖誕節當天看見東京鐵塔的飯店，我心頭又驚又喜，顧不得窗簾尚未拉上，便與他激烈地翻雲覆雨。』你是指這個嗎？」

「你怎麼滿腦子都是賀爾蒙啊？」美紀子拿起杯子，湊近熱氣蒸騰的咖啡。「我指的不是這種充滿肉慾的東西啦。我的意思是希望你談些健康清新的戀愛，難得你在時尚咖啡廳工作嘛。」

「我以為自己是在鎮上的快餐店工作呢。」

我竭力表示不滿，但美紀子當然沒在聽。她啜飲杯中物，皺起眉頭。

「話說回來，為什麼明明你在咖啡廳工作，卻泡什麼即溶咖啡啊？」

「因為我是廚師呀。我跟咖啡豆一點都不熟。」

好啦好啦，繼續趕工吧——我催促美紀子，與她面對面坐在客廳，中間隔著白布波浪。我倆手持針線，默默縫上仿珍珠半晌。

「難道那些客人裡面，沒有你欣賞的對象嗎？」

很難得地，美紀子決定打破砂鍋問到底。她仗著自己是準新娘，便大發慈悲關心起朋友的幸福了——我故意往壞方面想，但隨即又反駁自己：不是這樣啦。美紀子裝成一副隨興閒聊的語氣，眼神卻非常認真，想必她已慎重地摸索許久，才終於找到發問的機會。

「欣賞的對象，有呀。」

「什麼樣的人？」

「古橋先生。他在我們店附近的公司上班，幾乎每天都會來吃中餐。」

「大概幾歲？為什麼你知道他姓什麼？」

「我猜比我們年長一點吧。有一次他來吃飯忘記帶錢包，在櫃台前滿臉通紅地摸索口袋，最後將月票護套裡面的員工證留下來，說：『不好意思，我馬上回公司拿錢。』我看他平常穿得隨興，還以為他是打工族呢。」

「是什麼公司？」

「這個嘛……公司名稱是片假名，所以我記不得。印象中，好像是電腦或通訊相關產業。」

「嗯嗯。然後呢？」

「什麼然後？」

「你欣賞古橋先生的理由呀。總有其他原因吧？」

「他的手指很美。還有，無論是舉杯或是使用叉子，都很安靜。」

「……就這樣？」

經她一問，我想了想，這才發現自己對古橋先生的了解僅止於此。

「他的鎖骨很圓滑。」

「誰的鎖骨不圓滑？」

美紀子為了省事，一口氣縫上三顆仿珍珠，然後再度起身抽菸。「那倒也是。」語畢，我刻意小心翼翼地將一顆顆仿珍珠縫在布上。

美紀子在陰暗的廚房邊笑邊看著我趕工。

「這陣子的我們好像回到高中時期喔。你還記得嗎？當時我們天天都聊些無聊的話題。」她說。

「記得。我們要嘛打電話聊個沒完，要嘛離家出走，聚在自動販賣機前。」

「你是說『矢澤商店』前的販賣機吧？那裡變成便利商店囉，你知道嗎？」

「我一直沒回老家，所以不知道。」

「是啊，朋代，你這人就是不愛回家。」

美紀子吞雲吐霧半晌，然後站在廚房跟客廳之間的門口呢喃著：「你不談戀愛嗎？」

「怎麼又扯到這裡來了？你別光顧著休息，快點來幫忙呀。這可是你的婚禮呢。」

「你是不是忘不了黑川？所以才不回老家，也不談戀愛。」

「才不是。」

我忘不了的並不是他，而是我和他的所作所為。

「欸，朋代。說真的，那天到底發生什麼事？」

美紀子再度坐在我對面，低頭從盒子裡撿起仿珍珠。

「問這幹嘛？」

「沒幹嘛。只是想知道而已。」

從高中畢業已經六年，而我跟美紀子也相識將近十年。這麼多年來，她從未如此明確地說出自己的要求。

那天的事情，是否一直縈繞在美紀子的心頭？該問嗎？還是該裝作不知道？她徬徨多年，今晚終於在白色波浪的對岸向我提問。

至於我，正巧也想說出來確認一下。我有關心自己的朋友，有一份能靠著掌廚養活自己的工作；說出來後，我就能明白現在的自己有多麼幸福美滿。

「好吧，我告訴你。」

我一直覺得百思不解。

為什麼人在談戀愛時，能確定那就是「愛」呢？

例如我的初戀對象——幼稚園櫻班的同班同學健斗，當時我明明不懂什麼叫「戀愛」，也不明白它的含意，心底仍然深深覺得「喜歡健斗喜歡得不得了」。

我覺得他很特別，和他一起玩時心兒怦怦跳，同時也希望他能和我兩情相悅。它沒有明確的字面定義，亦沒有形體，人卻生來就能明白何謂戀愛。真是不可思議。

儘管嗜好、喜歡的食物與討厭的事物會隨著歲月逐漸改變，喜歡上一個人所感受到的怦然心動、羞赧與獨占慾，卻不大會產生變化。

第一次（也是迄今最後一次）令我嘗到戀愛那股曖昧、尷尬、又熱又甜又苦澀滋味的人，就是黑川俊介。

我們倆幾乎大半時間都膩在一起。往返學校的通勤時間、午休時間、放學後，無一例外。只要見不到面，只要皮膚感受不到一丁點對方的體溫，就覺得渾身不對勁。

放學後，我們習慣漫無目的地在鎮上散步，然後傍晚到俊介家去。俊介的母親老早就離家出走，而我也未曾見過他那經營貨運公司的父親。在那幢獨棟樓房中，俊介總是孤單一人。

我早年喪父，是由在郵局工作的母親一手拉拔長大的。每當她結束郵局的工作，便會直接搭車前往鄰鎮的小酒吧，然後在那兒打工約五小時，直到深夜才回家。這段時間內，我可以盡情待在俊介家。

我媽一整天都在工作，而我卻幾乎每天都泡在男人家。我對此並不覺得愧疚，因為我不大喜歡我媽。

她幹嘛特地去臨鎮的小酒吧打工？反正地方這麼小，鎮上誰不知道她在那兒上班。「昨天我爸去你媽上班的小酒吧玩耶。」我不知聽同學講這種話聽了多少次。事到如今，有必要偷偷摸摸嗎？還是說她做了什麼見不得人的虧心事？我懷著這樣的想法，幾乎不跟她說話。

那一天，俊介一早就無精打采。我們放學後照常繞去超市購物，此時他發燒了。我記得當時想煮粥給他吃，所以買了蔥。我們在沒有父母存在的空間，過著家家酒般的時光。

俊介摺完衣服後，便無力地癱倒在床上。

「有藥嗎？」我問。「大概沒有。」俊介答道。

「早知道就買藥回來。」

「沒關係，你去洗澡吧。」

「你燒成這樣，還想做呀？」我大吃一驚。

「我說你啊，到底把我想成什麼人了？」俊介一臉無奈。「我才沒那力氣咧。」

俊介的意思似乎是：儘管用浴室吧。他看過我家的浴室，知道它非常狹小。

我去浴室用熱水準備濕毛巾，為床上的俊介擦拭身體。餵他吃完粥後，我在他的額頭和頭旁邊放了許多冰袋。

「好重，而且也太冰了。用毛巾把它們包起來啦。」俊介說。

我把俊介的睡衣攤開，用冰袋觸碰他的左胸，惹得他驚叫一聲，然後兩個人相視而笑。我們連這種情況也不忘打鬧。

我靠著俊介的床沿坐在地上，靜靜地閱讀雜誌。俊介睡覺時頻頻發出呻吟，每回幫他換冰塊時，我總是悄悄地撫摸俊介汗涔涔的髮絲。

我在他枕邊擱著一瓶運動飲料，悄聲說：「那我走囉。」

俊介睜開眼睛。「我送你。」他作勢起身，我趕緊把他的肩膀壓回床上。

「我一個人回家沒問題的，明天見喔。」

語畢，我關上房門。俊介從棉被裡探出半張臉，稚氣地說：「嗯。」

外頭依然有點冷。

我關好大門，將鑰匙從玄關旁的窗戶扔進去，接著走在夜路上。這是一條河濱道路，平常我總是跟俊介手牽手，遠眺穿越鐵橋的電車，看著倒映在水面上的電車車窗。

但是那一晚，我選擇加快腳步。道路在中途便偏離河畔，此時我登上河堤，這是我每天習慣成自然的路線。我的住處就在橋的另一端，因此河堤步道是通往我家的捷徑。

四下無人，我的手突然被人從後面猛力一拽，接著整個人滾落在斜坡上。回神一看，原來我被人壓倒在河畔的乾草叢裡。

在感到恐懼之前，我嘗到的是驚慌與混亂。我下意識地將壓過來的重量往回推，不料一記耳光搧得我頸椎發出鈍響。我頭昏眼花，但奇妙的是一部分的意識卻異常清醒，使我得以看見壓在自己身上的東西。

在昏暗的視野中，某處的光線反射在那雙濕滑得發亮的眼睛上。這名口吐腐臭味的男子，掀起我的制服裙。

儘管想踢他，被壓得死死的我卻無力反擊。他單手掐住我的脖子，另一隻手脫下我的內褲，然後把手指插進去。

恐懼感終於來了。

這個男人並不想強暴我。他發硬的陰莖確實摩擦著我，但那不像情慾，倒像憤怒，他只是想藉此來折磨他人、發洩暴力衝動。

搞不好我死定了。在我尚未領悟到那是恐懼時，這份情緒便轉為絕望。我的絕望，也染上了憤怒的色彩。

為什麼我非得被這個來路不明的陌生男人痛毆、在河邊被強暴？我放棄一切抵抗，不僅不再扭動手腳，也不再大叫；即使我想喊，掐住我脖子的手也將力道增強到令我難以呼吸。

與其被殺，我還寧願被強暴。憤怒令我的腦袋冷靜下來。你絕對傷不了我，因為我的憤怒比你更有力量！要怎麼強暴隨便你，但你可別以為殺得了我；我絕對要活下去，我要趁隙反擊，我要殺了你！

男子想霸王硬上弓，但是我那裡很乾，所以很痛。他煩躁地掐著我的脖子，使我的疼痛與痛苦越來越劇烈。當我感覺到被掰開的厭惡感時，我身上的重量驟然消失，空氣瞬間流進氣管，而男子則伏倒在河邊。

俊介佇立在我眼前。

他站穩軟弱的雙腳，氣喘吁吁地雙手高舉著一根棒子。俊介以玩蒙眼破西瓜的姿勢再度揮棒毆打男子，一次次地打在他的肚子、胸口、臉跟頭顱。

男子起初哀聲連連、連滾帶爬地想逃走，最後終究一動也不動。棒子一打下去，他只能縮在地上抽搐。

俊介丟下棒子，恰好敲到河邊的石頭。從聲響聽來，應該是金屬棒。

我緩緩站起身來。臉頰好麻，喉嚨好痛，股關節軋然作響，那裡也好刺痛。儘管背部、腰部與腿部傳來撞傷與擦傷的痛楚，我還是滿腦子想找另一隻不知飛到哪兒去的鞋子，想來還真可笑。

俊介看到我朝著草叢東張西望，便幫我把鞋子找來穿上。蹲在我面前的俊介，看到我的內褲卡在腳踝，他的手頓時猶豫了。我勾住俊介、搭著他的頭，微微抬起卡著內褲的腳，示意他取下。他抽出內褲，將它塞入披在身上的薄外套口袋中。

俊介起身輕輕握住我的手，將我從河堤拉起來。我一邊起身，一邊回頭望向河邊。

「他死了嗎？」

「大概吧。」

俊介的腳踏車棄置在步道上，橫倒在地。

「還能騎嗎？」我問。

「嗯。」他說。

我坐在腳踏車後座，俊介開始踩動踏板，往自己家前進。

濃霧從河川下游襲來，周遭的空氣頓時變得白茫茫，飽含濕氣。

電車橫渡鐵橋，燈光宛如雲間陽光般變得淡而朦朧，車聲聽來有如慢速播放。沒開車燈的腳踏車飛馳在分不清東西南北的茫茫大霧中，連輪胎輾過馬路的感覺，也顯得好模糊。

「我看起來像完全沒反抗嗎？你會不會認為我逆來順受？」

若不是俊介背對著我，我絕對不敢問這種問題。

「我並不這麼想，不可能這麼想。」

俊介低聲說道。他右手放開握把摸索外套，將原本揪著他外套的我的手拉到自己腹部，緊緊握住。我倆的手頻頻顫抖。

「我們該怎麼辦？」

我的面頰又腫又燙。霧氣在臉上凝結為豆大的水珠，如淚般一顆顆滾落。

「這就是那天所發生的事。」語畢，我朝著動也不動、面色凝重地看著我的美紀子露出笑容。「這個故事怎麼樣？你相信嗎？」

「我相信。」

她答得如此迅速，令我大吃一驚。明明我的語氣不大正經，她憑什麼相信我？

「朋代，我記得有一天你鼻青臉腫地來上課，對吧？那件事我一直很在意。」

美紀子剪斷絲線，將針插入針包。「我嚇了一跳，還問你『怎麼回事』。我以為你被黑川揍了呢。」

我默默揚起嘴角。俊介從來沒打過我，他人很好。

「前一晚我打過電話給你。」

「好像是喔。」

由於我遲遲不回家，因此我媽打電話到美紀子家。美紀子成功騙過我媽，告訴她：「朋代今天住我們家，她在洗澡。」隨後便撥號到我的手機。我無視媽媽的未接來電，卻接起美紀子的電話。謝謝你罩我，美紀子。今晚我要睡在俊介家，明天早上能不能去我家幫我把桌上的報告帶來？我媽早上七點半就會出門，之後你就能進去了。鑰匙貼在信箱的蓋子內側。生物課的分組報告，絕不能因為我一個人不交而為組員添麻煩——淡然提出這種要求的我，真令自己感到害怕。後來，美紀子也照做了。

「當時，你在哪裡、做了什麼事？」

我在河邊挖洞，因為我要埋了那個男人。

俊介叫我待在家裡，可是我不肯。我說我要跟去，不要離開我。

我們換上耐髒的衣服，從車庫取出鏟子，再度騎上腳踏車前往河邊。霧仍然很濃，路上毫無人車，即使有，恐怕經過時也只能看見模糊的輪廓吧。

我們一半依靠視覺，一半只能依靠觸覺摸索。

男子依然冰冷地躺在原來的地方。他身上的襯衫既舊又髒，雖然血流得不多，我卻無法直視他的臉。抬動他時不得不接觸他的皮膚，從皮膚的觸感看來，他大約四十多歲。

洞穴幾乎是俊介一個人挖的。

「還在發燒嗎？」我問。「退了。」他說。不知道他有沒有騙我。後來，我也拿著殺害男子的凶器幫忙挖洞。

我們謹慎地將枯草的草皮撥到旁邊，埋頭猛挖。河邊的土壤濕濕的，比我們想像中還好挖。

在挖土的過程中，我曾一度提議：「去報警吧。」但俊介說他不要。

「我們要怎麼跟警察說？說我的女朋友被人強暴，所以我就拿地上的鐵棒把那個男的打死，一棒又一棒地把他活活打死。你覺得我們會有什麼下場？這傢伙已經死了，我可是一點都不後悔。」

俊介沒有一絲動搖，也沒有一絲迷惘。他沉穩而堅定地挖著洞，臉上彷彿寫著：我是替天行道。

我確實認為被性侵沒什麼，但想到之後要受偵訊老半天，就覺得好討厭。我一點都不願意想起那件事，它最好消失得一乾二淨——我霎時覺得俊介好可靠，於是專心用鐵棒戳弄地面，將土弄鬆。

當我將鐵棒連同男子一併丟下洞裡時，美紀子打電話來了。我連口腔黏膜都腫起來，實在很難講話，但我還是裝出開朗的聲音。

結束通話後，我們從上方將土撥到洞裡，最後兩人一起踩踏地面，將泥土踩實。起初我戰戰兢兢地抬動雙腳，生怕喚醒什麼東西，但踏著踏著，遂變成某種儀式般的原始節奏。俊介和我看著彼此汗涔涔的臉，竟然笑了。我們一邊笑著，又踩踏了半晌。

霧氣急速地飄逝、變薄，對岸的燈火若隱若現。我們將擱在一旁的草皮蓋回去。填回去的土看起來顏色不大自然，但光線不足，所以我們也無法仔細檢查。

我們回到俊介的家，一起淋浴。接著，我們開著燈上床做愛，完事後俊介從冰箱取出冰塊，為我的臉頰冰敷。現在敷已經來不及了吧。

「很嚴重嗎？」我問。

「嗯，有一點。」俊介說。

我笑了，俊介也笑了。外頭刮起大風，將房裡的玻璃窗吹得咔咔作響。

隔天早上，我們若無其事地騎著腳踏車穿越河堤，前往學校。我們在晴朗的陽光下瞥向河畔，那幅景緻令人心曠神怡。

前一晚的風已將枯草吹得倒向上游，連我們都看不出哪邊是我們挖過的地方。

「絕對不會有人發現的。」

俊介的呢喃，唯有抱緊他背部的我能聽見。「只要沒有人發現，就等於沒發生過。」

只要沒有人發現，就等於沒發生過。他說的一點也沒錯。

古橋先生今天也沒缺席，他點了紅酒燉肉套餐。

我將三天前熬煮的得意之作盛進盤裡，最後加入兩三滴鮮奶油來提味。由於還有另一組情侶前來享用離峰時間的午餐，我實在無法從廚房抽身。那個一有機會就偷懶的老闆端著銀色托盤，從外場返回櫃台。

「朋代啊，那個人是你的菜對吧。」

「那個人？」

「就是之前想吃霸王餐的那個人啊。你看，坐在窗邊那個。」

「我認為他不是故意想吃霸王餐啦，不過他的確是我的菜。」

「我就知道，我果然猜對了。」老闆滿意地點點頭。「你是不是喜歡乍看斯文、其實有點易怒的人？」

「什麼跟什麼呀。」

我笑歸笑，內心卻暗自佩服老闆一語中的，真是人不可貌相。不知為何，老闆總是用店裡的電話向老婆道歉，但他這二十年來靠著做生意所累積的觀察功力，可真不是蓋的。

還是說，其實我沒有藏好腐臭味？

殺人埋屍。我並非湊巧出現在那兒；我就是動機本身，我不只是共犯。我身上有一塊抹滅不去的印記，那個印記所發出的黑光，總是尋找著跟俊介類似的人。

「好啦，老闆，快去準備咖啡吧。」

我馬上打消這愚蠢的念頭。

哪有這種事？沒有證據能顯示人類的性命比其他生命更尊貴。

被我料理掉的牛、豬、魚，難道沒有在我身上留下印記嗎？我跟老闆以及許多饕客所吃掉的生物，難道沒有在我們身上留下印記嗎？

有了印記又如何。我們所殺的那個男人留下的印記，總有一天會被許多印記覆蓋，而後消失。

即使古橋先生就站在櫃台前，老闆仍埋頭幫那對情侶泡咖啡。我敲打收銀機，對古橋先生說：「一共九百圓。」古橋先生遞出千圓紙鈔，一邊說道：

「我看起來很易怒嗎？不是腦袋聰明，而是易怒？[2]」

百圓硬幣從我手中滑落，我目不轉睛地看著古橋先生。

「我耳力很好喔，連公司女同事背地裡說人壞話都聽得一清二楚，真傷腦筋。」

「先生，不好意思。」我說。「我們老闆……不，我也有錯，真不好意思。」

我終於拾起百圓硬幣，尷尬地遞給古橋先生。他伸出左手收下。

「方便的話，下次能不能跟我去看電影呢？」古橋先生說。「不看電影也無所謂。散步也好，釣魚也好，參觀牧場都好。」

他的手掌冰冷而乾燥。我不禁想像那隻手撫摸我的頸項、摩挲我的耳後，頓時渾身一顫。

起初什麼問題也沒有。隨著激昂的情緒逐漸冷卻，我開始害怕了。

犯罪本身固然令我害怕，但我更害怕思考東窗事發之後的下場。萬一大家知道那一晚我被怎麼了，以及俊介做了什麼，之後我倆又做了什麼，他們會怎麼想？

我想像自己是被俊介威脅的。我提議自首，俊介卻不接受，所以我挖了洞，否則我或許會被俊介殺掉，和那個男人一起躺在泥土裡。

---

2 日文中，「腦袋聰明」音近於「易怒」。

不過，當然那並非事實。

俊介的態度完全沒有改變，而這也是我最害怕的。我在無數次的夢囈中驚醒，俊介每每對我呢喃著：「別擔心。」然後溫柔地撫摸我的背部。

「俊介，你不會夢見當時的事嗎？」在房內與他獨處時，我如此問道。

「不會。」俊介說。「因為我不認為自己有錯。」

我對俊介的情感，越來越接近憎惡了。這種情感，和抵抗那個男人所湧現的憤怒非常相像。

為什麼你殺了他？我又沒有求你殺他。為什麼你要多管閒事？為什麼你要追過來？為什麼你不傻楞楞地經過河堤就好？我寧願自己在那兒被姦殺。我好想大聲哭訴，但我哭不出來，也說不出口。

我倆守著相同的祕密，我們只能一如既往地相偕上學，比以前更愛彼此、困守在彼此的小圈圈裡。

我在俊介家連住了好幾天。我媽氣得抓狂，找上門來興師問罪，但我還是不肯回家。我不想離開俊介。萬一我離開俊介在家過夜，當時沒叫出聲的哀號肯定會如洩洪般溢出，破壞一切。

我媽一把抓住俊介，只見他揚起嘴角，將我媽輕輕一推，關上大門。

即使校方與老師對我們施加壓力，俊介依然不為所動。由於我們這幾天從不曠課，因此校方聽到我說：「我每天都有回家。我想家母大概只是因為忙於工作而不常在家，才會變得神經兮兮的。」便不再追究了。

俊介直視著夜半哀號驚醒的我。外頭的燈光照著他的眼白，反射出藍白色光芒。

「萬一屍體被發現怎麼辦？」

「不會的。都半年了，還是沒有任何人發現。」

「現在還不遲，不如我們去找警察說清楚……」

「說了也沒用。況且我從不認為我們有錯。」

俊介握住我汗涔涔的胸部。「無論是那傢伙的家人也好，朋友或情人也罷，只要有人非常重視他，想把被埋在土裡的他找出來，我願意出來償命。不過，若是沒有人出來找他，只要他還埋在那裡，別想叫我給予任何補償。」

俊介貫徹著俊介的正義，守住了我。他守住我們的日常生活，讓我能去學校與朋友歡笑，和俊介牽手、接吻，諸如此類。

因為他愛我。

反正我也愛俊介，所以或許我應該忘懷一切，當作什麼事都沒發生過。

那個男人是咎由自取——我如此說服自己，但每當我閉上眼睛，腦中總會響起俊介使用暴力時所發出的鈍響。

如果想將情人永遠綁在自己身邊，最有效的方法是什麼呢？那一晚之前，我常常思考這個問題，因為我認為自己沒有俊介就活不下去。

那一晚之後，我更離不開俊介了。因為我喜歡他；因為如果他離開，我就會被恐懼壓垮。

那一晚之前的我，夢想著在情人面前自殺。自從埋了那個男人，我的想法也變了。最好的方法，是在情人面前，為了情人而殺人。只要讓對方見識到自己的深情，保證永遠不會變心。

高中畢業之前的那一年，我一直懷著這種想法。

俊介跟我畢業後，兩人都上了東京。俊介去上大學，而我則決定就讀廚師專科學校。我們倆一起上東京，各自去尋找獨居的住處，並約好盡量住在距離相近的地點，打好租約。畢業典禮前一天，我終究還是回家了。俊介在我跟媽媽看電視時登門拜訪，儘管媽媽滿臉不悅，也懶得再說些什麼。我走出家門，在公寓樓下和俊介瞎聊。

「那我們明天見囉。」俊介輕輕揮手。他才正要跨步，卻又停下來，回頭對我說：「痛苦嗎？」

我笑著說：「什麼？」他只是點點頭。俊介的眼神如孩童般天真，令我聯想起那一晚。那個我們最後度過的幸福夜晚。

俊介沒來參加畢業典禮。他不在家，也從未出現在東京的租屋處。

唯一可以確定的是，他不想再見到我了。

我一邊問著為什麼，內心某處又告訴自己：我就知道。

我上了專科學校，在那兒與朋友遊玩，嘗盡歡笑與淚水。之後，我在好心老闆所開的小店工作，每天做著自己喜歡的料理。

這就是俊介想要的平凡生活。

他相信這是對我最好的報復，報復我施加在他身上的各種暴力。

直到我跟俊介不再見面，過了好久好久，我才驚覺他以前並非從不夢囈，而是無法在我面前睡著。

我原本以為，不管眼前出現多麼好的對象，自己都無法再愛人了。

「喔喔喔？大有進展嘛。」美紀子笑道。

婚禮將在一週後舉行，只要將頭紗的刺繡完成，婚紗就大功告成了。美紀子開始估量多大的捧花最符合整體比例，然後畫出設計圖，計算花的種類與數量。

「然後呢？你什麼時候跟古橋先生約會？」

「我才不會跟他約會呢。」我說。頭紗的布料很容易被汗水染色，所以我戴著薄棉手套做針線活。針很難拿，刺繡又毫無進展，弄得我有點焦躁。

「為什麼？」

美紀子的語氣十分訝異，聽得我更加煩躁。

「什麼為什麼，你以為我辦得到嗎？你以為我有辦法跟別人約會、談戀愛？」

美紀子默默地挪動鉛筆半晌，喃喃說道：「有什麼不好呢。」

「你不是說相信我的故事嗎？」

「相信啊。我相信，而且也認為沒什麼不好。告訴你吧，其實我聯絡過黑川。」

一時之間，我聽不懂美紀子的意思。

「我聯絡過黑川。你告訴我那件事後，隔天我就聯絡他了。朋代，你一直沒回老家，所以不知道吧？他在老家的公司上班喔。」

「啥？」

「我跟他說：『我要結婚了，時間很趕，但我希望你務必來一趟。朋代當然也會來囉。』他說：『好，我去。』」

「什麼跟什麼呀。」我目瞪口呆。「美紀子，你幹嘛雞婆？那我不去了，你幹嘛逼我跟他見面？」

「做個了斷呀。不管你要告發他也好，跟他一起自首也好，默不吭聲也好，如果你不跟他面對面談談，就只能原地打轉啊。」

「虧你還說自己只是想知道真相。」

「我知道了，而且也沒有洩密啊。我一生都不會說出去的。」

「你想要我怎麼做？」

「我不是說過嗎？希望你跟黑川見面。」

「我不會見他！我絕不會見他的！」

我大聲怒吼，美紀子卻只是說聲「好啦好啦」就回家了。之後，無論我怎麼打電話她都不來，婚紗跟頭紗一直擱在我家。

婚禮前一天，刺繡終於完成了。我淹沒在大功告成的白布堆中，決定最後再打一次電話給美紀子看看。

「喔~完成了?謝啦!明天一點前幫我帶來會場,麻煩你囉。」

誰要幫你帶去呀,你乾脆裸體結婚好啦!我氣憤地想著。

想歸想,不知怎的,最後我卻在休息室幫美紀子穿婚紗。

美紀子的父母與兄弟開心地簇擁著她,新郎也對她百般呵護,她看起來真是美麗動人。大夥兒恭敬地向我頻頻道謝,感謝我幫美紀子縫製婚紗。

我如坐針氈地靜觀儀式進行,接著移向婚宴會場。說是婚宴,其實也只是包下餐廳所舉辦的庭園自助餐罷了。落地窗敞開著,好幾張鋪上白布的桌子羅列在草坪上。隨著太陽西沉,庭園四周點燃篝火,桌上的蠟燭也點燃了。

席間,我與睽違多時的高中老同學們聊了起來。我笑著聊著,一邊掃視、尋找俊介的身影。菜餚很好吃,好幾道菜我都想記住味道,好為店裡的菜色增添新滋味。

我到處都找不到俊介。

我和美紀子一起拍照。或許他不來了吧?我想。

美紀子說要把捧花給我,說這是婚紗製作者的特權。連我自己都搞不清楚,我到底是希望他來呢?還是慶幸他沒來?

我在通風、面朝庭院的露台納涼時,察覺到俊介的存在。他站在離篝火最遠的樹蔭下看著我。我從露台步下草坪,橫越庭院走向他。

「我還以為不會再見到你了。」我說。

「我也是。」俊介說。

俊介穿著黑色合身西裝，沒繫領帶。或許是光線昏暗的關係吧，他的氣色不太好，但從他的外貌看來，完全無法推測我倆已暌違多少歲月。

俊介輕輕攫著我的手，將我拉到陰影處。透過高跟鞋傳來的觸感，我明白自己已從草坪走到泥土地。

「你告訴她了，對吧？」

俊介的語氣非常溫柔，下巴指向熱鬧的庭院中央。我點點頭。他伸出手指撫摸我的臉頰、我的唇及我的髮，然後收回。

「你也要殺了我嗎？先殺後埋？」

「今天我不會殺你，也不會埋了你。下次就不一定了。」俊介將臉頰湊近我耳畔，如此呢喃。「不過，你絕對不能跟任何人提起我做過的事。你必須假裝忘得一乾二淨，快快樂樂地過日子，直到真的忘記為止。懂嗎？」

俊介抽回身子，鬆開我的手。他的眼眸如深淵般沉穩、漆黑。

——我做過的事。

他是為了說這句話才來的。為了給我自由。

「我保證不會再對任何人說出我們的祕密。」我發誓。「我會忘懷一切，快樂生活，直到死亡為止。」

我要將逐漸腐敗、溶解、永無暴露之日的祕密，藉由沉默與遺忘，轉化為苗床的營養。

「你一定要說成『我們的祕密』嗎？」俊介無奈地嘆氣。

「俊介，你後悔嗎？」

「你要問幾次才甘心？」俊介沉靜地微笑著。「我不後悔啦。」

俊介在草坪上快步離去。美紀子一看到他便出聲呼喚，但他只是輕輕擺擺手，絲毫不打算駐足。他匆匆離開庭院走向馬路，消失在夜色中。

我定定地目送著他。

美紀子放棄追逐俊介，東張西望地尋找我的身影。我踏出樹蔭，站在篝火旁喚了聲「美紀子」，她才如釋重負地跑過來。我們縫上去的仿珍珠相互摩擦，發出沙沙聲。

「你見過黑川了吧？」美紀子端詳我的臉。「我完全沒注意到他是什麼時候來的。朋代，怎麼樣？沒事吧？」

「完全沒問題。」我說。「這裡的料理好好吃喔。我明天要試著加在店裡的菜單裡。」

「嗯。」

「然後，如果古橋先生來了……我會跟他找一天出去約會。」

「嗯。」

美紀子戴著一雙長及手肘的白色手套，她牽起我的手搖了搖。

「是喔是喔。快點選個好日子吧，朋代！」

「你在學誰呀。」

「我們公司的部長。啊，他在露台那裡。該不會被他聽見了吧？」

麼。

我倆相視而笑。庭園自助餐尚未結束。明天，我要跟古橋先生想想下個假日該做些什

這或許只是無謂的嘗試，但是值得。

洋溢於夜色中

究竟是輕易淹沒在瘋狂情緒中的人奇怪呢，

還是無法完全投入的人比較奇怪？

瘋狂與正常的界線，經常取決於人數的多寡。

真理子從以前起就很奇怪。

我們以前就讀的學校有一個叫做「Omidou」的祈禱場所，也就是校內的迷你教會、迷你禮拜堂。我從未認真思索過那幾個字要怎麼寫，不過大概是「御御堂」吧。裡頭居然有兩個「御」字，真是神聖啊。

正面牆上掛著十字架耶穌像，祭壇上有燭台，天花板是挑高的圓形設計，窗戶全鑲著花窗玻璃。抱著稚子的藍衣聖母瑪利亞，腳邊盛開著白百合花。

一般來說，大型彌撒都是在禮堂舉行的，例如聖誕彌撒、安魂彌撒。神父穿上一襲華麗的衣袍，莊嚴地舉行儀式。無論是不是信徒，全校學生都必須齊聚一堂，共同瞻望。

沒錯，彌撒是一種「儀式」。彌撒的過程本來應該力求寧靜與神聖，後人卻為了將信仰轉化為肉眼可見的形式，而讓它淪為一場精心策劃的空心典禮。許多宗教祭典都是如此，終究演變為日常生活中的空殼習=俗。想在彌撒中看見什麼特別的東西，那是很困難的。

我曾多次目睹小信徒們在彌撒中打瞌睡。聽著那套重複好幾百次的台詞，確實令人感覺不到神父的靈魂。

這也是理所當然的。擴大宗教規模、廣納信徒的第一步，就是將組織化、包裝精美的儀式融入平凡的日常生活中。假如真有人每天都活在神祕的太虛境界中，那才奇怪呢。

然而真理子卻不同。

她明明不是信徒，卻萬般陶醉地詠唱聖歌，每當神父說：「願主與你們同在。」她就會比任何人都大聲回答：「也與你的心靈同在！」

當彌撒進行到「聖哉、聖哉、聖哉，全權大主宰！」這一段時，真理子已經不行了。她面頰潮紅、渾身如瀕臨高潮般震顫。站在她旁邊真令人如坐針氈，老是得擔心她是不是要昏倒了。

事實上，真理子每三次就會昏倒一次。

神父動作純熟、無聲無息地在桌上擺放銀器。

「主耶穌甘願捨身受難時，拿起麵餅，祝謝了，將麵餅分開，交給門徒說……」說到這兒，神父從銀器裡取出類似圓形蝦餅的小塊薄餅，雙手舉高。

「你們大家拿去吃。這就是我的身體，將為你們而犧牲。」

真理子雙手緊緊交握，目不轉睛地凝視麵餅。禮堂靜謐無聲，神父緊接著又說：

「晚餐後，祂同樣拿起杯，祝謝了，交給祂的門徒說……」

這回他舉起盛著葡萄酒的銀杯。

「你們大家拿去喝。這一杯就是我的血，新而永久的盟約之血，將為你們眾人而傾流，赦免罪惡。你們要這樣做，來紀念我。」

神父的語尾充滿戲劇性的餘韻。

「啊！」真理子低吟一聲，倒在座位上。周遭的學生開始交頭接耳。「真理子，你貧血嗎？沒事吧？」老師發現後，趕緊過來一探究竟。

真理子雙眼緊閉，薄薄的眼皮頻頻抽搐。這不是貧血。大家都不懂，其實她只是興奮得昏倒而已。她就像在偶像演唱會中兩眼發白的瘋狂女粉絲，也像老電影中那些被駭人事物嚇得失去意識的女主角。

如巨浪般席捲而來的神聖波動，令真理子感受到無上的喜悅。

對真理子而言，感恩經以及隨之進行的儀式，早已超越彌撒形式上的意義；台上的神父，其一言一行，無不籠罩於白色光輝之中。

每一回的彌撒，真理子總能身歷其境地看見、聽見、體驗。

拿撒勒的耶穌這名男子，在最後的晚餐中，在門徒面前做了些什麼？幾千年前的逾越節那一天所發生的事情，如回憶般一幕幕浮現在真理子眼前。

只有信徒才能領聖體。貪睡的小信徒們睜開眼睛，在神父面前排成一列。她們恭敬地以手掌領受聖餅，迅速送入口中。此時，真理子也恢復神智，癱在座位上注視著台上的人們；她的眼睛，飽含著濕潤的淚光。

這並非感動或感恩所致，而是感嘆快樂已竄遍全身，離她而去。

埋頭熟讀聖經、參加彌撒的真理子，連只允許信徒參與的「Omidou」都能躬逢其盛。真理子三天兩頭就往「Omidou」跑。真理子在那兒照樣昏倒，但在場的信徒們，想必沒料到真理子是因為神遊太虛才昏倒吧？對她們而言，彌撒只不過是一種儀式，她們認為真理子是由於身體虛弱才昏倒。

每每從「Omidou」返回，真理子一定會說出這句話。

「欸，你知道我現在最想吃什麼嗎？」

我當然知道囉，真理子。你想吃基督的聖體、飲聖血對吧？

我不想將真理子的神聖慾望說白，只好回答：

「我不知道耶。」

有一次，當我跟真理子在走廊上聊著這類老話題時，結束彌撒從「Omidou」走出來的校長，主動向真理子搭話。

「篠塚同學，你真的非常虔誠呢，想不想多讀點聖經，接受洗禮？如果你願意，我可以向神父拜託看看喔。你和父母談談看吧。」

「謝謝您，瑟西莉亞修女。」

看來，有人在舞台上看中你囉。真理子雀躍得差點跳起來，活像從偶像經紀人口中得知後台休息室位置的粉絲。

您是認真的嗎？校長女士。我好不容易才憋住笑。您找她來，就等於把撒旦引入神聖的彌撒中啊。

真理子並不信宗教，她只是在品嘗超自然體驗罷了。兩者乍看相似，其實性質大不相同。

真理子的激昂與熱情相當原始，也形同幻視。她並非相信教典，而是與化為宗教體制前的某種渾沌物質交流、感應。

她就像在雜亂節奏中被不知名靈魂附身的古代女巫，也像觸電般感應天聽、腦中瞬間浮現末日景象的傳說預言者。

真理子並非被神靈選上，也並非選擇神靈，只是身體不知怎的開了這條迴路，如此而已。

真理子的「信仰」，如果以最多人能理解的說法來解釋，就是戀愛。

這場佐以直覺和狂喜的愛戀，痴心得堪稱盲目，令她無法自已。她的心靈與肉體，皆在快感中恍惚、融化。

真理子在學時不曾接受洗禮，因為她父母並非為了讓她入教才將她送進天主教完全中學，而是想讓她進入好大學。

即使她長大成人，依然沒有受洗。無論是充滿聖光的幻視、天使所吹奏的榮耀喇叭聲，或是經由愛撫而帶來的快感——貫穿真理子的身體、與天地連成一線的快感，都不再出現了。

從前的熱病已痊癒，但下一波熱病卻接踵而來，襲向真理子。

進入沒有宗教色彩的大學後，真理子戀愛了。她這次的對象不是「上帝之子」所化身的十字架男人，而是凡夫俗子。

你看，真理子的眼睛又泛起新的淚光了。看看她的表情，她彷彿靜待神諭的殉教者，欣喜地豎耳傾聽平凡男子所羅織的平凡音階。

真理子真是既可愛又可憐。她那純潔而空洞的心靈與肉體，明明身在現世，卻如此輕易地遭到異界靈魂滲透。

神啊，救救她吧！

正因如此，我才會在木村芳夫半夜打電話說「我老婆怪怪的」時，心想：真理子從以前起就很奇怪。

結束通話後，我將右手放回床上，背後的有坂信二隨即緩緩抱住我。

「誰啊？」

「一個叫做真理子的朋友的老公。」

「這麼晚打來幹嘛？」

有坂從我的腰一路摸至腹部，接著握住乳房。電話打來時，我們正處在「再來一次也好，直接睡覺也無妨」的狀態。

我還以為有坂在等待時做出抉擇了，怎知他的手卻要摸不摸的。

「他說真理子怪怪的。」

我不喜歡半吊子的撫摸。如果不做了，我希望他讓我睡覺；如果要繼續做，我希望能盡情享樂。

「阿信。」

說到半吊子，有坂的名字也是這個調調。

Shinji。後面是什麼？Shinjiru？Shinjinai？還是Shinjitai[3]？我總是不禁想起這個問題，所以才會稱呼有坂為阿信。

「明天還得上班吧？」

3 Shinjiru是「相信」，Shinjinai是「不相信」，Shinjitai是「想相信」，Shinji這名字恰好是後面再加幾個音就能成為完整的日語。

我翻身面向有坂。有坂的手一度抽開，接著又在我背部游移。

「嗯……你說奇怪，是怎麼個奇怪法？」

「她本來就是個怪女生，所以我想不用太在意啦。她還說過房裡有惡靈呢。」

「惡靈。」

有坂環在我背部的手頓住了，在超短距離內整整凝視我的眼睛三秒。房裡燈火通明，針對「惡靈」一詞，有坂的眼中沒有譏笑、驚訝或疑惑，唯有一片漆黑。這三秒中，我看見清透亮澤的慾望之膜在黑暗中擴張。

「坐上來吧，艾莎。」

時至今日，我依然不懂這男人的情慾來源是什麼。儘管我暗自納悶，仍舊順著有坂的話，跨坐在仰躺床上的他身上。

第一次跟有坂做愛時，他笑道：「你好狂野喔。」

「真是人如其名[4]，令尊跟令堂應該很以你為榮吧。」

我非常喜歡有坂的說法。

只要客人不來找我，我也不會主動接近他們。無論有什麼疑問，只要開口說一聲，舉凡穿搭訣竅、材質、洗滌方式甚至瞎扯閒聊，我都能應付。

4 女主角名叫エルザ，可能是Elsa或Elza，具有神的恩賜、豐盛、令人滿足之類的含意。

如果是生客，我會請他們盡情撫摸衣料，若無其事地向對方介紹那件衣服的小故事或是來歷，敘述它是經由多少人所打造出來的結晶。

如果是熟客，我會回想那個人至今買過的衣服與喜好，含蓄地提供對方幾種購物方向。這就像一本寫滿神聖格言的高貴書籍，將古往今來的事情轉化為詩般的曖昧語言，任憑對方自由想像。

我喜歡這家店的衣服，令人聯想到遍地岩石之遠洋孤島的牧羊人。在日本，只有青山的直營店和這裡販售這些衣服。

早上的客人應付完了，趁著午休來逛逛的上班族人潮也退了，此時有一名穿著灰色西裝的男子踏進店裡。有坂說今天會早點下班，我明天也休假，今晚回家不如用冰箱的剩餘食材煮火鍋吧——我滿腦子只想著這些事，所以沒及時察覺這名男子的存在。

這家店鮮少出現獨自前來的男客。男子摸摸衣架上的衣服，彷彿觸摸衣服是進入服飾店的基本禮儀。

我覺得他有點眼熟，正當我想起這人是誰時，男子轉過頭來。

「你是吉崎小姐吧？」男子說。「我是木村芳夫。真理子說你在這裡上班，所以我特來拜訪。幸好你在。」

我只見過他穿著白色燕尾服、在婚宴中滿頭大汗地微笑的模樣，想不到人居然能變得如此憔悴，真令我吃驚。不過，說不定這就是木村芳夫的真面目。看著他那套乾淨卻單薄的素色西裝、擦得油亮卻老舊的鞋子，以及眼鏡後方那雙如植物般老實的眼睛，我不禁如此揣想。

我向上司報備後，偕同木村芳夫走出店外，打算順便吃頓遲來的午餐。午後的新宿沐浴在冷而澄澈的陽光下，我們走進百貨公司附近一家面向馬賽克街的露天咖啡廳。

我點了熱三明治，木村芳夫則點了咖啡，隨後在外面入座。我只穿著春夏裝外加一件外套，坐在外面固然有點冷，但只有外頭能吸菸，所以也沒辦法。我向木村芳夫示意，他說：

「我不抽菸。請抽，我不在意。」

我才剛點菸，他卻馬上把名片遞過來，我只好叼著菸接下他的名片，真是個不機靈的男人。名片上印著大型家電廠商的名字。我沒有隨身攜帶名片的習慣，總是將它們收在店內的櫃台裡。

從抽完菸到拿起熱三明治這段時間，木村芳夫一直頻頻道歉。「不好意思，昨晚那麼晚還打電話打擾你」、「不好意思，在你上班時打擾你」。

「我知道這樣做很冒昧，但說到真理子的朋友，我只認識吉崎小姐你而已。」

那還用說，因為跟真理子要好的人只有我一個啊。我嚼起融化的起司與半冷不熱的番茄。

木村芳夫啜飲咖啡，默默等待我吃完。

「請問……真理子從以前就有那種毛病嗎？」

「那種毛病？」

我用紙巾輕輕擦拭手指與嘴巴，喝下開水。

「每當家裡有嘰嘎聲，她就會發著抖說惡靈來誘惑她；每當她看了《生命的進化三十億年之旅》之類的節目，就會一臉認真的說『什麼進化論？太蠢了。這個世界是上帝創造的啦』。」

我好不容易才憋住笑。

「很奇怪吧？」木村芳夫壓低嗓子。

「硬要說的話，是有點奇怪。」我嘗了一根飯後菸。

「真理子是懷孕後才開始說這些話的。以前我完全看不出跡象。」

「哎呀，真理子懷孕啦？恭喜恭喜，幾個月了？」

「謝謝你。四個月了……呃，吉崎小姐，我想說的不是這個。」

「我在電話中也說過，」我捻熄菸，一邊不著痕跡地確認時間。「真理子從以前就很奇怪了。我不太明白木村先生在煩惱什麼，真理子害怕惡靈、否定進化論，這跟真理子的人格或優點一點關係也沒有，不是嗎？」

「可是，以一般人的眼光看來，怎麼想都很奇怪啊。」

「你不妨想想看，這不是跟深信占卜或風水一樣嗎？再說，現在的美國鄉村一帶，肯定還是有許多人相信惡靈的存在，也相信創世紀的記載喔。」

「吉崎小姐，您還真冷靜啊。」木村芳夫絕對是在諷刺我。「真理子的狂熱可是讓我怕得不得了呢。」

我沒有跟真理子同住過，也不是她的家人；我知道自己沒資格說這種話，不過我覺得真理子的狂熱挺可愛的。我喜歡看著真理子開啟迴路的瞬間，喜歡看著她渾身震顫地品嘗不可思議的體驗。

第一次和真理子說話，是在國中三年級那年。那是長達五天的「鍊成會」[5]第三天夜裡的事。

一整個年級的學生，全都關在學校旗下的深山集訓所裡。沒有電視，禁止外出，當然也不准攜帶書籍或零食。我們待在與外界完全隔絕的環境中，每天從早到晚讀聖經、聆聽神父的教誨、觀看記錄聖人一生的影片。吃完晚餐後，我們還得交出總共五頁的「今日感想」作文。

現在回想起來，那根本就只是「洗腦研習會」，瘋狂、痛苦，而且非常可怕。帶頭的老師們跟周遭的學生、神父，不僅沒有察覺這一連串活動的異樣，而且還逐漸被這股狂熱附身。

我們分成幾個小組閱讀聖經的一個章節，讀著讀著，突然有一個人站起來流淚懺悔，接著一發不可收拾，到處都有人開始懺悔，甚至還有人淚涔涔地安慰道：「上帝會原諒你的。」

真是瘋了。不過，瘋的人是誰？

我打從心底感到害怕、恐懼，究竟是輕易淹沒在瘋狂情緒中的人奇怪呢，還是無法完全

5　日本教會學校的鍊成會，主要是請神父來藉由講道與相關活動，來教導學生做人處事的道理。

投入的人比較奇怪？

瘋狂與正常的界線，經常取決於人數的多寡。哪邊才是瘋子，我認為答案非常明顯。

我夜難成眠，在深夜中大叫驚醒，於是趕緊從狹窄的雙層式床鋪彈起來，向室友們道歉，假借尿遁離開房間。

逃生門的綠光照耀著陰暗的走廊，真理子就在那裡。她穿著與初春的深山並不搭調的棉製睡衣，在寒冷的走廊上望著窗外。

外頭黑漆漆的，她到底在看什麼？我還來不及問，真理子便轉向我說道：

「你看起來很痛苦。」

我回答「嗯」。

「反正大家一旦離開這裡，就會若無其事地回歸正常生活，那麼只要熬過這段時間就好啦。我就是滿腦子想著該信或不該信，所以才會痛苦。」

真理子淺淺一笑。「問題不在於相不相信。『有』就是有，我們只要感受就好。」

「你感覺得到？」我問。「你感覺不到嗎？」她反問。

真理再度將視線投回窗外。外頭只有樹木的黑影無限重疊，僅此而已。

「哭著懺悔其實沒什麼意義。」真理子說道。「祂根本沒在聽我們說話。祂只是在凡人無法觸及的高處，朝下方扔東西而已。」

「扔東西？扔什麼？」

「光，熱，偶爾會扔些類似語言的聲音。」

這個人跟其他人好像不太一樣。她的狂熱與其他人有著本質上的不同，深沉而靜謐。我不知道她所感受到的是正確或是錯誤，還是單純的錯覺，或是真相，只知道非常正統。

我還記得當時是這麼想的。

「晚安。」

真理子向我道晚安，於是我從走廊折返。真理子佇立在原地，持續感應著我感應不到的東西。逃生指示燈將她的輪廓染成淡綠色，看起來彷彿她正從內側發出微光。

木村芳夫說他害怕真理子的狂熱，我反倒想問：為什麼要害怕真理子的純真呢？真理子從前是不是也用害怕惡靈、否定進化論的眼神注視著木村芳夫？她的眼神訴說著自己即使感應到了，仍然決定接納一切、全心愛他，而木村芳夫也回應了她的愛，不是嗎？說真理子怪怪的？她這樣又不是一天兩天的事。如果她算是怪人，那麼絕大多數人都算是怪人了。

不需要想太多。你的煩惱，其實跟發現老婆變心所產生的煩惱沒什麼兩樣。你是要繼續愛她，還是跟她離婚？只要考慮這點就夠了。

我好想這麼對他說。不過，我知道說了他大概也聽不懂，於是不發一語。

時間快到了，為了終結話題，我說：「如果有什麼事，你再跟我聯絡。」並告訴他我的手機號碼。木村芳夫說：「這是我的手機號碼。」然後撥出我的電話號碼。我的手機在手中發出生物般的無聲振動。

液晶螢幕上的這組號碼，我應該不會有使用它的一天。

我一回到公寓，就看到靠備用鑰匙進門的有坂站在廚房裡。

「你回來啦。」

明明有坂自己也有住處，卻總是理所當然地說出這句話。

「我回來了。你在幹嘛？」

「我在熬昆布高湯。」有坂拿著長筷，從熱氣蒸騰的鍋裡撈出大塊昆布。「我打算來煮火鍋。怎麼樣？」

「好啊。家裡有昆布呀？」

「今天我去天然食品行打聽事情，順便跟他們買來的。」

我在洗手台卸妝後，還沒換下衣服，便回到廚房查看狀況。冰箱裡那些差點枯萎的蔬菜已悉數切完，我從有坂手中接下菜刀，切起冷凍即將超過一個月的雞肉。我為染上淡淡顏色的高湯稍微調味，將食材依序丟入鍋裡。這段時間內，有坂都在客廳喝著啤酒看電視。

「好，完成了。」

我將鍋子端到客廳的矮桌上。家裡沒有電熱爐，我們得趁熱吃才行。

我突然想起少了一個東西——

「忘記煮飯了。」

「沒關係啦，總之我們先吃吧。我們可是要把冰箱裡的東西全部移到胃裡，到時絕對容不下米飯啦。」

我們默默地吃起火鍋。原本快溢出來的蔬菜已經少了一半，沉在鍋底的雞肉才剛探出頭來，門鈴就響了。「艾莎，是我。」我聞聲趕緊將門打開，只見穿著輕薄黑毛衣的真理子佇立在門口，背部融於黑夜中。

「你怎麼突然來了？連外套也沒穿。」

「沒關係，我開車來的。」

真理子的面皮微微一動。她似乎想笑，但看起來只像抽搐，連表情都稱不上。

「進來吧，我們正在吃火鍋。不好意思，都是些剩餘的食材，來幫我吃掉吧。」

我抓著真理子冰冷的手腕示意她入內，她這才進入屋內的燈光中，彷彿黑夜之子。好奇外面狀況的有坂一見我跟真理子站在客廳門口，旋即抬頭仰望。

「晚安，敝姓有坂。」有坂說。真理子默不吭聲地望著有坂，我只好向有坂介紹道：「這是我朋友，木村真理子。」

「喔～」有坂會意地點點頭，起身從廚房取來碗筷，遞給真理子。

真理子捧著碗筷，坐在離桌子稍遠的位置。

「艾莎，你有交往中的對象呀。」真理子語氣略微平板地說道。「以前你都沒介紹給我認識，所以我還以為你一直單身呢。」

我不喜歡安排現任男友與朋友見面。

讓科羅拉多大峽谷看流星，有什麼意義呢？兩者在我心中並沒有交集，況且萬一流星當著我的面變心，選擇墜落在科羅拉多大峽谷，豈不慘絕人寰？

我喜歡一個人欣賞流星，直到它消失在我生命中。

不過說到真理子，我之所以不讓她見我男友，其實有另一個原因。我想，自己應該是不願意讓男友知道這個怪女人是我朋友。

只要男友說出一丁點批評真理子的話——比如「她怪怪的耶」——我就會覺得自己被否定了。

「今天木村打電話給你，對吧？」真理子的語氣冰冷得幾乎令激流凍結。「手機的通訊紀錄有你的號碼。你跟他見面了嗎？」

「啊，嗯。」我說。有坂繼續埋頭吃火鍋。

「為什麼？」

「問我為什麼……你先生擔心你有點神經質，所以來找我商量。」

「是嗎？」真理子的臉頰再度微微抽搐。「艾莎，你怎麼回答？」

「我覺得你跟以前差不多啊。」

真理子終於放鬆地笑了。她這麼一笑，又回到十幾歲時的表情。

「真理子，聽說你懷孕了？恭喜你。」

「謝謝。」

語畢，真理子這才察覺自己一直捧著碗筷，於是將它們擱在桌上。她的肚子依然平坦，看不出裡頭寄宿著另一個生命。

「艾莎，你能不能陪我一下？」真理子沒頭沒腦地說道。

「去哪裡？」

「我想去一個地方，開車馬上就到。」

「可是我還在吃飯耶。」我說。

「那又怎樣？」真理子毫不退讓，略顯不耐。我正進退維谷時，有坂露出天真無邪的笑容說道：

「晚上開車兜風？我可以一起去嗎？」

真理子還來不及回答，有坂便擱下火鍋，匆匆關掉客廳的暖氣，披上外套。「喏。」他也將我的外套遞給我。

太陽打西邊出來了。有坂乍看粗枝大葉又不拘小節，卻很善於察言觀色。他來這兒找我時，只要察覺我想一個人獨處，總是乖乖告退。

我的看法是：有坂認為每個人想要的東西都跟他一樣。

也就是說，他理想中的情侶相處模式是兩人互相依賴，但仍彼此保有尊重。

我跟有坂的相處原則並非只是避免踩到對方的地雷，更重要的是思考對方想要些什麼，才能順利交往至今。有坂剛才的言行，已大幅脫離了這項原則。

我驚訝得一時無法反駁，一回神已從玄關走到外頭。我注意到自己還穿著價格不菲的工作服，但已無法回頭了。

「那我們走吧。」

語畢，真理子逕自往前走。有坂鎖好大門，示意我追上。

一輛香檳金色的小型車停在公寓前的馬路上。這是真理子的愛車，以前我曾跟真理子開著這輛車去箱根泡溫泉。

真理子打開車鎖，坐進駕駛席說道：

「不好意思，請你們坐在後座。」

我打開車門正想彎腰進入，卻驚愕得不敢動彈，因為後座有人。木村芳夫坐在駕駛席的正後方，手腕被領帶綁在身體前方。

「啊，你好。」木村芳夫朝我點頭致意。

「怎麼了？快進來。」

繫著安全帶的真理子側著半邊臉，催促我們。我坐在後座，被木村芳夫跟有坂夾在中間。有坂不可能沒留意到有一名男子手腕被領帶綁著，但也沒說什麼，只是乖乖坐著望向前方。

這輛車原本就小，擠進三個人後更是擁擠得難以動彈。我們各自挪動身子尋找最舒服的姿勢，此時車子啟動了。

「呃……」木村芳夫微微探身。「我是真理子的丈夫，木村芳夫。」

「我是有坂信二。」

有坂笑嘻嘻地答道。

「不好意思，內人給你們添麻煩了。」

「哪裡哪裡。」

都什麼時候了，你們還能閒話家常？我真搞不懂。

「啊，名片。」

木村芳夫想摸索西裝的暗袋，手卻無法動彈，無功而返。

「真理子。」我朝著駕駛席一喊。「為什麼木村先生被綁住了？」

「是我綁的。」

真理子優雅地說道。

「呃……」木村芳夫又開口了。「提議的人是我。我說我不會逃，可是真理子不相信，所以我說『那你把我綁起來吧』。」

「艾莎的嫌疑已經洗清了吧？」有坂說。「可以幫木村先生鬆綁了嗎？」

「請。」真理子說。

繩結綁得並不緊。我幫忙解開木村芳夫的領帶，木村趕緊向有坂遞出名片。

「我沒帶名片耶。」有坂看看名片的正反兩面，將它收進自己的外套口袋中。「我是寫書的。」

「這樣啊。」木村芳夫重新調整坐姿。「哪一類的書呢？」

「一言難盡啦。」

車內瀰漫著沉默。

真理子不假思索轉動方向盤，彷彿受到某種引導，彷彿有一道看不見的光芒照耀著路途。

當車子從公寓附近的用賀交流道轉入首都高速公路時，我再也忍不住了。

「我們要去哪裡？」

「耶穌基督的墳墓呀。」

每個字我都聽得很清楚，卻不懂這是什麼意思。我望向身旁的木村芳夫，希望他解釋一下，他卻將自己深深埋進椅背，閉著眼睛動也不動，宛如已放棄掙扎。

「呃……」有坂說。「你是說青森那個嗎？」

「青森！」

我破音了。青森哪是「搭車馬上就到」的距離啊！有坂微微傾身，在我耳邊悄聲說道：

「青森有一個叫做『戶來』的地方，那裡據說有耶穌基督的墳墓。我是沒去過啦。」

「超可疑的……」

「就是說啊。」

有坂將身體挪回去，開心地笑了。

「我覺得呀，」真理子的左手放開方向盤，撫摸自己的肚子。「這孩子說不定是上帝之子呢。有一道好溫暖、好懷念的光芒包圍著我，然後我就懷孕了。」

「真的嗎？」

有坂詢問木村芳夫。

「怎麼可能啊。」木村芳夫睜開眼睛，疲累地答道。「自己做過什麼事情，我可是記得很清楚呢。」

真理子完全沒在聽。

「所以呢，我要去跟耶穌基督打招呼。」

對向車的車燈微微照亮真理子的臉，看起來充滿神聖的光輝。

車子繞過市區，終於從川口系統交流道進入東北汽車道。路上空空蕩蕩，暢行無阻。

我向真理子提議換人開車，她卻毫不停歇地繼續駕駛。

眾人不再開口。窗外黑漆漆的，沒什麼景色好看。我滿腦子只想著：難道真理子不睏嗎？

木村芳夫的手機響了。事出突然，每個人都下意識地身子一震。

「接起來。」

真理子下令了。木村芳夫遲遲不行動，於是她朝著他的肩膀伸出右手。木村芳夫猶豫老半天，最後還是從口袋掏出手機，交給真理子。

真理子檢查上頭顯示的號碼，默默將手機抵著自己的耳朵。「啊，木村先生嗎？」聽筒傳來女子的聲音。

「請問你哪裡找？」

她的聲音不帶一絲情感。真理子將油門踩到底，維持這個姿勢半晌，然後——

「掛斷了。」

語畢，她頭也不回地將手機往後頭一扔。木村芳夫接下手機，再度塞回自己口袋裡。有坂拍拍自己的膝蓋，啪、啪、啪。我覺得很悶，想脫掉外套卻又不敢亂動，只好暗自忍耐。

「我想上廁所。」

我懇求真理子。當車子駛近國見休息站時，已經超過午夜十二點了。

我喚住僅穿著毛衣便走出車外的真理子，為她披上我的外套。

「千萬別著涼。」

真理子默默點頭。我和她一起前往女廁。深夜的女廁杳無人跡，我覺得穿著春夏服來到這裡的自己真的好蠢。

上完廁所後，我和真理子並肩站在洗手台前。四周一片純白，真理子微微低頭洗手。

離開廁所一看，有坂正在吸菸，木村芳夫則呆呆地杵在他旁邊。我走到他們兩人身旁，而真理子卻像繞過柱子般地繞過我們，頭也不回地徑直回到車內。

「如果我們擅自回家，她一定會生氣吧？」有坂說。「不過也不知該怎麼回去就是了。」

「不好意思。」

木村芳夫說。我沒有帶菸，於是跟有坂要來一根，抽起菸來。

「阿信，你跟來幹嘛？不管怎麼想，我們今晚都不可能回得去呀。」

「我又不必上班打卡，而且你明天……啊，已經是今天了。你今天不是休假嗎？就當作這是一場心血來潮的旅行嘛。」

「不好意思。」

木村芳夫又道歉了。這是我第幾次聽這個男人講這種虛無飄渺的致歉詞？

「木村先生，你明天該怎麼辦？」

有坂將菸灰抖在菸灰缸裡，一邊問道。

「早上我會跟公司請假。」木村芳夫無精打采地縮起身子。「為什麼事情會變成這樣呢？」

真虧你還能擺出事不關己的樣子！我捻熄香菸。木村芳夫的每一句話、每一個動作都挑動我的神經，令我煩躁難耐。我跟這個人就是不對頻。

有坂走向車子，一邊說道：

「嫂夫人真的相信嗎？」

「相信什麼？」

木村碎步跑到有坂身邊。我不想加入他們的對話，因此略微放慢腳步，跟在他們後方。

「相信自己懷了上帝之子。」

「這個嘛……」

「我覺得嫂夫人好像話中有話喔。」

木村納悶地偏偏頭說：「這我就不知道了。」然後匆匆坐進後座，關上車門。我和有坂緩緩橫越車頭，走向另一側的車門。

我側著臉，故意不讓車內的人看到我的表情。

「我快氣死了。」我低語道。

「這是友情嗎？」有坂問。

「什麼意思？」

「沒有啦……」

有坂停下腳步，垂眼半晌，似乎在思考該說些什麼。「剛才你不是問我為什麼跟來嗎？」

「嗯。」

「因為我覺得這樣比較好。我認為自己說不定可以留住你。」

留住我？把我留在哪裡？為什麼要留住我？以往有坂的話總是像連餘音都計算在內的樂譜般明確易懂，今晚我卻完全不懂他的意思。

我突然覺得有點害怕。

將舊有的界線溶化崩解的鍊成會。今晚的氛圍，跟那一夜很像。

副駕駛席上擱著我那件摺起來的外套，我只好擠進狹窄的後座；才剛坐下，車子便駛向黑河般的高速公路。

投下震撼彈的人是有坂。

「對了，剛才的電話是誰打來的？」

「阿信。」我悄聲提醒他。

「可是我很在意耶。」有坂大剌剌地說道。

木村若無其事地回答：「是公司的同事啦。已經很晚了，我早上再回撥給她。」而真理子則吟唱般地說著：「公司的同事。」

車內一片寂靜。

現在的情況，就算在睡夢中直達天國也不奇怪。說不定這就是真理子的目的。儘管心裡緊張，睡魔卻如霧般潛入我的腦中。

一陣輕微的震動震醒了我，車子再度停在某個休息站前。

「想上廁所的人就去吧。」

有坂和木村芳夫打開兩邊車門，各自出去。有坂大大伸著懶腰，他前方的牌子寫著「紫波休息站」。儘管我一直抵抗著光輝即將降臨的預感，夜晚仍將迎向最黑暗的時刻。

「艾莎，你不去嗎？」

我搖搖頭。我不想留下真理子一個人。

「這不是第一次了。每次我叫他別這樣，他總是說『你誤會了』，隨口蒙混過去。」

真理子雙手鬆開方向盤。我當下就聽出她的話中含意。

她微微拉下車窗，比東京冷冽許多的寒風旋即灌入車內。

「我已經好一陣子看不見、聽不見神靈了，明明以前很敏銳的呀。」

真理子的嗓音猶如編織得細緻精密的絲線。

「嗯。」

我悄聲回答，就像小心翼翼地呵護埋藏於心底的祕密，以免被人看穿。

「可是最近，我好像又能感應到了。像花又像雨，又像從天而降的光芒……」

「我知道。」

我知道真理子正逐漸封閉自己。此時的她和當初一無所知、歡欣無比地開啟迴路的真理子不同。她沿著暗路而行，走向自己的心靈深處。

她肚子裡的孩子才不是木村芳夫的孩子。那是上帝之子，就算全世界的人都不相信，我也相信她。真理子所懷的是上帝之子，有什麼不對嗎？

即使我認同你，你仍將獨自走向遠方，走向無人知曉的他方。

真理子真的很愛那個男人，所以無法容忍他的背叛。

我不敢相信。我不願意相信。

我們在八戶交流道轉向高速公路，天色依然未明。

道路偏離平地，宿命般地朝著山區一路延伸。路上沒有其他車輛，民宅的點點燈光在黑暗中閃爍，我們只能仰賴腳下這輛車的車燈。

真理子完全不看地圖，反正看了也沒什麼意義。我不知道自己身在何處，渾身腰痠背痛，明明體力已達到極限，意識卻非常清醒。

真理子宛若尋找母親的稚子，時而開入狹窄的岔路，然後又開回原路。車子籠罩於宇宙般的無垠黑暗中，徐徐前進。

「應該就在這附近呀，我搞不清楚了。」

真理子將車子停在河岸道路。引擎一關，周遭隨即沒入連聲音都將染黑的夜幕之中。

「我應該感應得到才對……」

時間如沉眠般靜靜流逝，真理子凝神傾聽，瞪大雙眼。

「啊，是那裡！」

她的聲音雀躍得彷彿發現一片花團錦簇的原野。真理子打開車門，徑直衝向對向車道的護欄，而護欄下就是河流。

「真理子！」

我推開有坂，慌張地從後座衝出去。比寒冰更冷冽的風迎面吹來，我一時以為自己皮膚變薄了。

「艾莎，你看。」

真理子指向對岸黑壓壓的茂密森林。「那兒有光，一定是那裡！真美呀……」

我望向真理子所指的方向，卻怎麼看也看不到什麼光。

「在哪裡？真理子。我不知道你在說什麼，嗳，告訴我呀。」

我拼命呼喚她，不希望她前進，但她卻不再回話了。只見她滿懷信心地注視著某一點，朝上游踏出幾步，接著拔腿狂奔，彷彿被無形的力量驅動著。

「等等，真理子！」

穿著黑毛衣的身影瞬間沒入黑暗中。我本以為她掉到河裡，但並非如此；真理子走在小小的橋樑上，正朝著森林前進。

我想衝過去追上她，卻被絆了一下。這條薄素色長裙太礙事了。

木村終於隨後趕上，他說：「天色很暗，太危險了。我去追她。」說完便越過河川，轉眼間消失蹤影。

憑你能做些什麼？你不知道真理子是多麼真心真意的一個人，只會平白享受她對你的好；你根本不想花心思了解她，只會害怕她激烈的情感，你憑什麼！

真奇怪，我居然會有這種想法。我知道自己很奇怪，但就是無法壓抑對木村芳夫這個人的厭惡。

從前，真理子沐浴在從天而降的聖光之中；如今，一股相似的濁流亦從我心頭湧出，將隱瞞已久的真相揭露於黑夜中。

儘管我為它建了堤防，終究會洋溢而出，將我淹沒。

「艾莎，交給木村先生吧。你別去。」

我扭動身軀，想甩開有坂搭在我肩上的手。

「我喜歡過真理子。」

「嗯。」

「我喜歡她。」

「嗯。」

有坂的眼眸與黑夜同色，我知道他已看穿浮現在我心頭的真相。

真理子還沒有回來。那個男人果然沒什麼用，不可能帶回真理子。

而且他也不可能抵達真理子的所在地。

無論有坂多麼用力地握住我的手，無論他多麼想把漂泊的靈魂留在這個世上，我依然一心求去。我要前往那條得也得不到、找也找不著、無論如何敲門都無法開啟的道路。

是的，我戀愛了。

「真理子——真理子——」

我大聲嘶吼著。

黑夜奔流，水聲淙淙。或許那晚的真理子對我道晚安後，從我回到床鋪的那時起，我就一直待在夢中，待在永不終結的夢境裡。

骨片

我心中有一座咆哮山莊。

那是一塊荒涼而難以居住的大地，

冬天令所有草木枯萎，冰雪將山莊與外界隔絕。

事實上，我已經無力再應付這東西了。

一時的激情退去後，如今它也不過是一塊碎片。當時我怕我倆就此斷了牽連，因此才悄悄地、顫巍巍地將它藏在掌心。

大學畢業典禮那一天，我們見了老師生前最後一面。那天明明是春季，卻有點冷，我們學生遲遲不想放開手中的畢業證書，在老師的研究室暢談至薄暮時分。

綜觀整座學院，只有十幾個女學生。到頭來，我跟她們也只是點頭之交，當中有人將出社會就職、有人決定嫁人，而取得大學文憑卻回老家幫忙家業的人，只有我一個。

當年的畢業生有五個是老師的直屬學生，裡頭只有我一個女生。其他四個男學生對畢業懷著既興奮又期待的心情，也容光煥發地準備迎接明日的社會責任。至於我，只覺得昨天還是朋友的他們即將離我遠去，在研究室中獨自垂頭喪氣。

「蒔田同學，你今後有什麼打算？」

老師極其沉穩地對緊握畢業證書筒的我問道。

「我要回去幫忙家裡的事業。畢竟我能念到大學畢業，全多虧哥哥扛起家業供我讀書。」

我忍受著自尊所帶來的自卑，好不容易才答出口。

「你家從事哪一行？」

「點心鋪。」

這件事我從未告訴任何朋友。我到底有什麼好自卑的？家人做的是堂堂正正的生意，而且從未對追求學問的我皺一下眉，反倒一路支持我，不是嗎？即使我如此說服自己，但在那些志向遠大的朋友面前，我還是不敢說出：其實我這個上大學的女流之輩並非醫生、外交官或大企業千金，而是製作點心材料的小店鋪兒女。

在場的學生，沒有人聽了後嘲笑我們家的生意。老師的學生們都是善良誠懇的人，而且我也知道有人特地從窮鄉僻壤上東京求學，靠獎學金苦讀度日，而我卻以家裡的生意為恥。女人幹嘛讀那麼多書？更何況是文學那種填不飽肚子的學問！迄今不知聽了多少回的話與質疑的目光，使我變得更膽小自卑；而我也瞧不起自己，恨自己被周遭的偏見影響，以家業和自身所學為恥。儘管在場沒有人輕視我，我仍然以自己的一切為恥，也瞧不起有這種想法的自己。

「明天起，我就要開始做紅豆餡了。」

我連一點點沉默也熬不住，於是說得很快。「今後，我的生活再也跟文學或國家發展扯不上任何關係……」

我的聲音小到無法說完，老師卻若無其事地微微一笑。

「我做的事情對國家也沒什麼幫助啊。」老師說。「還有呀，蒔田同學。做紅豆餡或許不需要懂文學，但是對於做紅豆餡的你而言，重點並不在於『需不需要』，而在於它所帶來的收穫吧？」

我抬起頭，正巧和老師四目相交。老師坐在粗糙的木椅上，眼中洋溢著朝氣與熱情。

「我們一起讀過勃朗特姊妹的作品，而你也在報告中對《咆哮山莊》投注最多研究與熱情。」

不知不覺中，我們圍著老師傾聽他對文學的熱愛，彷彿回到課堂時光。

「那部作品可說只圍繞在荒野中的兩棟宅邸，但有人覺得它的世界觀很狹小嗎？沒有。那部作品裡什麼都有，比如愛與憎恨、陰謀與和解、背叛與赦免，所有的一切，人生百態全匯聚於咆哮山莊。」

說到這兒，老師緩緩環顧眾人。

「各位同學，必須將此事牢記在心。」

歲月在一成不變的生活中逐漸流逝。

家裡同樣充斥著香甜的氣味，店頭門庭若市；哥哥與來訪的業者總是談生意談到幾乎吵起來，聲音大得後面都聽得見；嫂嫂忙著照顧小孩；媽媽大概是去工廠監工，一早就不見人影；至於我，則為今天傍晚公會舉辦的戎講[6]做大鍋滷菜、紅豆飯或去倉庫拿碗，連化妝的時間都沒有。

日暮時分，我踩著嘎吱作響的昏暗樓梯爬上二樓，把晾衣竿上的衣物收進來。晚上再摺吧！我如此思忖，打開拉門將衣物丟進自己房裡，不經意發現和服的下襬髒了。

大概是在倉庫沾上的吧？我拍拍偏白色的乾燥塵埃，不知不覺中癱坐在地，然後解開袖

6 祭祀惠比壽的活動。惠比壽是日本七福神之一的商業之神、財神。

子的綁帶及綁在腰帶下的傳統圍裙，隨手扔到一邊。

我爬向梳妝台，將手伸向觸手可及的化妝品瓶子，扭開瓶蓋。指尖隨即傳來乾乾硬硬的觸感。

我握緊它躺在榻榻米上，將之抵在自己胸口。

真希望老師能在我面前現身，就像凱薩琳出現在希斯克里夫眼前一樣；真希望老師能找我討回這樣東西。恨我也無所謂，即使老師變成青面獠牙的鬼魂對我伸出乾裂的手指，我也必定會哭著抓住老師不放。

然而這裡並非咆哮山莊，只是人煙稀少的城下町[7]一隅。我們不是愛得轟轟烈烈的情侶，老師還不知道我的崇拜與愛戀就死了，我永遠無法向老師表白，只能天人永隔。玻璃窗的另一側，唯有抖落樹葉的樹梢隨著微風搖曳。

「朱鷺子、朱鷺子。」

紙門對面的祖母聽到聲響，開口呼喚我。我將老師唯一能讓我睹物思人的遺物放回梳妝台，趕緊起身。叩！它刺耳地發出碰撞聲，如常倒在梳妝台上，多麼殘酷。

我開始恨它了。老師的碎片如今只會在日常的紛擾中使我煩上加煩，幾乎無法再安慰我了。

7 以領主居住的城堡為核心來建造的城市，現今日本人口十萬以上的都市多由城下町發展而來。

祖母是個怪人，明明身體好得很，卻成天躺在床上。

追溯兒時記憶，我完全想不起祖母起床做家事或外出的模樣，不僅如此，打從我媽嫁入這個家，她便已成天躺在床上茫然度日。

不過，祖母並沒有生什麼大病，反倒是身體硬朗，思慮也算清晰。先父上頭有四個姊姊，他是么子，這樣算來，祖母已將屆八十高齡。儘管年事已高，儘管每天都過著一成不變的生活，她的記憶力卻很好，並且伶牙俐齒。

我拉開分隔兩間房的紙門，只見祖母一如既往地將棉被拉到脖子，躺在榻榻米上的墊被上頭，沐浴著斜陽。

「今天是不是有戎講？」

祖母微微抬頭，轉動眼睛看著我。我手放身後關上紙門，跪坐在祖母枕邊。這位祖母的優點，就是只要不讓風鑽過門縫吹進房裡，她就不會對禮數斤斤計較。

「是呀，從一早就忙得要死呢。」

我的挖苦總是傳不進祖母耳裡。她大大嘆了一口氣，說道：「真討厭啊。」

「外頭已經變得很冷，散播感冒病菌的人八成也不少。你們會在二樓的會客室辦活動對吧？記得關緊這間房間的門窗，弄得暖一些。」

「我會的，奶奶。」

說起祖母病態的部分（光是嫁過來將近六十年間都躺在床上就夠病態了），就是對感冒異常戒慎恐懼。媽媽說祖母的弟弟小時候死於小感冒，自此心中便蒙上陰影。然而只因為如此，人類就能放棄購物、和鄰居在路上閒話家常、出外看戲之類的種種活動嗎？

祖母從不踏出二樓的房間一步，也不在容易感冒的冬天見客。天氣溫暖時，她偶爾會下樓和家人一同用餐，其他時間都是由我們端飯菜到她床邊。她說睡衣的袖子必須短一寸，結果幫她改短後又發著抖喊冷；如果我們膽敢把修剪衣物的剪刀忘在她枕邊，她就會按鈴叫家人來，說冷得睡不著。

「成天躺在床上也不輕鬆喔。」祖母裹著棉被咕噥道。「『幹活』這詞裡不是有個『活』字嗎？幹活還比較快活呢。」

面對這情況，我媽會一笑置之地說：「您說得是。」但我實在無法辦到。即使如此，我還是無法對祖母狠下心，所以只好將自己房裡的煤油暖爐搬來讓她使用。

我見祖母似乎想要人陪，於是將收進來的衣物搬到她房裡，在枕邊摺起來。祖母沒有起身幫我摺衣服，只是如常將下巴埋在棉被裡，看著我做事。除了偶爾抬頭看看時鐘，我的視線一直落在手邊。

祖母關在這小房間長達半世紀以上，腦中究竟在想什麼呢？她如何定義生活中的悲苦？

儘管年事已高，祖母的五官依然相當端正。她皮膚白皙細緻，頭髮也盤成不妨礙睡眠的蓬鬆髮髻，一點也不邋遢難看。

然而，我只在父親葬禮時看過祖母穿正裝的模樣。我的房間從前是父親的房間，他長期臥病在床，祖母卻一次也沒有踏入隔壁房間。即使在隔壁受苦的是自己的兒子，對祖母而言，踏入病房恐怕就像踏入三途河[8]一樣可怕。

守靈跟葬禮時她終於起床換上喪服入座，但媽媽、哥哥和我從火葬場返家時，她又鑽回棉被裡了。當時十來歲的我，真的懷疑這個人跟自己到底有沒有血緣關係。

祖母在棉被中翻身面對我，說道：

「幫我把壺拿來。」

我拿起平時擱在祖母枕邊的有田燒壺，打開蓋子，把壺口對著她。祖母從棉被裡伸手掏出一顆壺裡的白色糖果，津津有味地嚼起來。

樓下的擺鐘敲了四下。

「我待會兒幫您換熱水袋。」

語畢，我起身再度綁好袖子綁帶、繫好傳統圍裙，步下點著橘色燈光的樓梯。嘎吱作響的地板儼如飽受煎熬的情感，不知是來自於我，或是祖母？

戎講結束後，醉漢們終於步上歸途，貼心的嫂嫂提醒我早點就寢。好不容易洗完碗盤，已經超過午夜十二點了。哥哥現在大概跟孩子們一起在被窩裡大聲打鼾吧。我決定明天再保養用過的漆碗，關好家中的瓦斯暖爐後，回到二樓臥房把床鋪好。

我用冷水洗臉，接著以化妝水拍拍緊繃的面頰，躺在墊被上。幹嘛保養皮膚？我在黑

8 日本傳說中的河川，是現世和來世的分界線。

暗中悄然一笑，這個鎮上根本不會有男人娶我。男人們七嘴八舌地對著幫忙斟酒、上菜的我說：「學士大人，您做這個太可惜啦。」、「學士大人，來幫我們上課嘛。」

我不怪他們。他們只是有點好奇，同時藉此掩飾害羞，因為他們不知道該如何面對我這種女人。我從小在這兒長大，知道他們民風純樸、秉性善良。可是我快窒息了。我真想丟掉托盤放聲嘶吼，但是我又該吼些什麼呢？

我猛然起身，披上爸爸的老舊棉襖，拉開紙門。

祖母在睡夢中微微打鼾。我將手伸進棉被裡，檢查洗碗時幫她換過水的熱水袋仍否溫熱，然後關掉原本就已調弱的煤油暖爐，暫時佇立在祖母房裡。

祖母是鄉下貧農出身，前來購買紅豆的祖父對她一見鍾情，於是上門提親，祖母遂嫁入商家。突然被人從鄉下帶到城下町的祖母，面對熱鬧的氣氛與門庭若市的商家生活，應該只覺得痛苦吧。我在黑暗中聽著祖母的鼻息，如此揣想。

祖母也很想放聲吶喊。不成聲的吶喊在她體內逐漸堆積，最後把她壓得無法起身。她沒有勇氣正視凝結在自己體內的東西，只好委身於平凡有保障的日子，在太平之世隨波逐流。

那麼我呢？教育程度高於街坊男子，蒙受老師薰陶的我又是如何？我成天忙於家務，連看本書的時間都沒有；我扼殺自己的聲音，使自己無法叫喊，這樣的我跟祖母有何不同？

我回到臥室，取出老師的碎片。脫下棉襖後，我鑽進被窩，在掌心把玩老師的碎片，等待棉被變暖，以便入睡。肌膚傳來老師堅硬的觸感，我摩擦腳趾，蜷縮身體嘆氣。

當店裡接到老師去世的電話通知時，女工讀生以為我要昏倒了。「小姐，您的氣色跟死人一樣差呢。」她說。

我終究來不及參加守靈。我還記得留在大學當老師助手的豬原一再囑咐道：「千萬冷靜。」他鐵青著臉，在車站迎接翌日前往東京的我。

「事出突然，我實在不知該如何是好……」豬原嗚咽道。

那天早上，老師直到上課準備時間仍未現身，於是豬原納悶地到學校後方的租屋處一探究竟，不料老師伏倒在書桌上，斷氣多時。

老師年紀尚輕，而且也沒有宿疾，我上氣不接下氣地問：「怎麼會這樣？難不成、難不成……」

豬原搖搖頭，似乎想安撫我的情緒。

「不，他是病死的。醫生說八成是急性心肌梗塞。」

怎麼會有這種事？一個身體健康、年近四十的人不可能突然一命嗚呼。我如此說服自己，在後面快步追著豬原。這一定是某種玩笑，只是學生時代那些無聊惡作劇再度重現而已——然而一見到棺木中面若死灰的老師，我的妄想也隨之幻滅。

老師從學生時代便住在這兒，房東婆婆好心將此地設為靈堂。敞開的大門上高掛燈籠，熟人們三三兩兩地聚集在懸掛著黑白布幕的廳堂。我癱坐在一角，之後的事情記得不大清楚。

老師的兄弟姊妹從老家一路趕來，由於老師潛心研究、一生未婚，因此葬禮大小事幾乎是由校方一手包辦。我腦中只隱約記得這些片段，待一回神，我已拜託豬原將我帶到火葬場。

老師的親屬率先用竹筷幫他撿骨，接著再依序輪到其他人。老師的骨頭既白又堅硬，這點令我益發混亂。這是死人的骨頭嗎？肯定是哪裡弄錯了！我甚至心想：用泥土或什麼都好，必須幫那副屍骨捏出肉體，讓老師復活才行。

儘管如此，我腦中依然有某部分非常清醒。對了，撿骨的順序是從腳骨開始，爸爸去世時也是這樣，我想。

我和豬原一同用筷子撿起老師的骨頭，放入骨灰罈。不用說，突如其來的喪子之痛令老師的父母無暇他顧，而在場也沒有一個人有空懷疑我。骨灰罈快滿了，火葬場的人雖然有所顧忌，仍用竹筷硬戳骨頭，想把它們塞進骨灰罈裡。啪嘰啪嘰，骨頭發出乾裂聲，罈子總算騰出些空間，人們再度著手撿骨。最後火葬場的人將事先挑出的喉結骨納入罈中，然後封好骨灰罈，放入白木箱。

我幾乎仰賴豬原的攙扶，看著老師殘留在台上的屍骨。它們之後會有什麼下場？是不是會再度被放入火葬場的窯中，燒到變成柔軟的灰燼？

與其如此——我如同中邪般地搖搖晃晃走向台子，互相噓寒問暖的出席者與用布纏繞骨箱的火葬場人員，完全沒有注意到我。確認無人起疑後，我悄悄從台上偷走老師的一塊骨片。

老師的骨片又硬又輕，穩穩地納入我掌中，上頭還留有些微餘溫。直到我得到老師的碎片，這才發自內心流下安心的淚水。

「你的名字裡有兩個『時』呢。[9]」

我和老師走在研究室到學校大門這段短短的路程時，曾有過這麼一段對話。

「這個嘛，我對自己太熟悉，反而沒注意到這點。」

「真是個好名字。」

「反正我是女人，結婚後就得改姓了。」

「啊，這樣啊。」

老師喃喃說道。「你想結婚嗎？」

「不想。」

話音甫落，我又馬上補充：「不，還不一定。」

仔細想想，我一次都沒有碰觸過老師。別說是嘴唇，連他的手指觸感如何，至今仍然不知道。

即使如此，關於老師的骨頭碎片，我可是比任何人、甚至比老師自己都清楚。我日日在掌心把玩它、用臉頰磨蹭它，緊緊握著同眠共枕；我有時也會含著它舔一舔，或是輕輕咬咬看。

9　「蒔田」當中有一個「時」，朱鷺子的朱鷺也與日文中的「時」發音相同。

由於我太常把玩它，最近老師的骨片似乎被磨亮了。然而這依然只是老師的乾枯碎片，壓根不能為竟日留守家中的我帶來一點慰藉。

思考該拿這骨片怎麼辦，成了我的下一項樂趣。

乾脆把它磨碎，放進祖母愛惜如命的壺中吧？我望著眉開眼笑吃糖果的祖母想道。裹著白色粉末的糖果。祖母肯定不疑有他，一口吃下老師的碎片。

不，與其如此，還不如由我來吃。我希望能把它當成致命藥粉和水吞下。我彷彿盼望在土裡和凱薩琳結合的希斯克里夫，想像著老師進入我的體內。我倆合而為一，老師將成為我的骨與肉。

對了，墳墓如何。老師的遺骨已經回歸故里，我不如挖開老師的墳墓，把這骨片神不知鬼不覺地放回骨灰罈吧。它將帶著被磨亮的淡淡光澤，再度與老師的白骨共眠於土中。這塊骨片將在黑暗的地底熠熠生輝，宛如老師正向我發出信號。

那時距離製作歲末年節禮品還有一些時間，正是安穩的冬日時光。

哥哥參加公會的聚會回來後，對我說：「朱鷺子，你想不想嫁人？」正在倒茶的我下意識停止動作，而哥哥則咬了口由店裡的紅豆餡製成的羊羹，閉目咀嚼當中的滋味。

「納戶町的津田金分家[10]有個兒子，明年好像會從東京的大學畢業。雖然他年紀比你小一點，不過這個對象還不賴吧。」

10 日語的分家與中文用法略有不同，可作為名詞用。繼承家業的長子一家稱為本家，而其他兒子在外建立的家庭則稱為分家。

津田金是這一帶最老字號的點心鋪，和我們家也有生意往來。看來哥哥去參加聚會時被人說媒了。

「可是……嫂嫂的預產期不是明年春天嗎，家裡需要人手吧？」

「有你幫忙當然很好，但是這可能是你第一次、也是最後一次的相親機會，你就考慮看看吧。」

我讀大學時早就與相親絕緣，已經沒有挑對象的本錢了。即使如此，我還是無法想像該如何與一個素不相識的男人結婚。哥哥叫我考慮，但是具體來說也沒什麼好考慮的，之後我便將嫂嫂準備的晚餐端去二樓的祖母房裡。

祖母從棉被中起身，肩頭緊緊披上棉襖，然後才拿起筷子。食慾旺盛的祖母，膝下五個孩子都是日日躺在床上懷胎而生，想來真令人不寒而慄。成天睡在二樓的老婦——在這男丁早逝的家系中，除了媽媽跟嫂嫂，所有的活人都將納入她的腹中，納入女王蜂的圓鼓肚內。

平時我放下餐盤不久便會下樓，但今天我硬是不走，祖母似乎有些吃驚。我有點想捉弄她，遂起身從隔壁房中取來老師的骨片。

祖母啃著從壺中拿出來的糖果，一邊問道：

「那是什麼啊。」

「是骨頭呀。人的骨頭。」

只見祖母狐疑地看看我的掌中物又看看我，然後說：「老天爺啊。」她板起臉。「不要把那種東西帶來，快點把它處理掉。」

她既不害怕也不問那是誰的骨頭，很快就對老師的骨頭失去興趣。我究竟想告訴祖母什麼呢？我嘗著希望落空的淡淡滋味，依然把玩著掌中的骨片。

「奶奶，你婚後幸福嗎？」

祖母似乎不懂我的言下之意。

「嫁到哪兒都一樣啦。」

她喃喃說著，再度啃起糖果。

如果真的嫁到哪兒都一樣，那麼我心中的迷惘、焦慮、煩惱，全都是白費力氣。

我悄悄握緊老師的骨片。

他們說最好在過年前答覆對方，於是哥哥逼問我到底想拿這樁婚事怎麼辦。

「什麼怎麼辦……」

判斷依據就只有一張自我介紹跟一張照片而已。哥哥被我模稜兩可的態度惹得心浮氣躁，索性在桌上探出身子說道：

「我是在問你到底想不想嫁人啦！」

哥哥想知道的似乎不是我對結婚對象的看法，而是我的心情。

「我可以選擇嫁或不嫁嗎？」我抬起頭。「那我不要嫁人。」

我喜歡老師。即使老師已經不在人世，即使我跟他從未敞開心房談論男女之事，我喜歡他這點依然沒變。就算我逼自己嫁人，反正世界上沒有人知道我鍾情於誰，也不會有人指責我，但是如此一來，我將嚴重背叛自己的真心。

打從出娘胎起，我一直看著身邊那個沉沒在背叛深淵的人。祖母心頭的刺將她釘在自己床上，她卻懵然未覺。她懵懵懂懂地過著婚姻生活、生下孩子，從不親手養育、理解他們，迄今仍滿心只害怕病痛，在床上顫抖著入睡。

嫁到哪兒都一樣。祖母只說對了一半。

祖母的床——這狹窄的世界，沒有人知道它蘊藏著多少寶藏，或許連祖母自己也不知道。因為她只是一逕沉沒在自己的深淵中，從不站穩腳步，看看底下到底有什麼東西；因為她誤以為怠惰就是安定。

我不會犯下那種常人容易犯下的錯誤。這一點，我已將它烙印在心。

我心中有一座咆哮山莊。那是一塊荒涼而難以居住的大地，冬天令所有草木枯萎，冰雪將山莊與外界隔絕；但短暫的夏天將使百花齊放，宛如置身天堂。這就是人類的一切。我駐足於那塊小小的土地上，決心看遍人間百態。

各位同學，必須將此事牢記在心。

老師最後的話語如春雷般撼動我的心，照亮我的道路。

我自豪而坦然地抬起頭來。我的心沒有偽裝。即使每一天都如此難熬、一成不變，我仍必須以自己的方式貫徹這份愛。

「這樣啊。」哥哥說完這句話，便離開客廳。

媽媽沒說什麼，嫂嫂聽聞我不嫁人也沒皺一下眉，而兩個小姪子則開心地撲過來說：

「那姑姑會繼續留在家裡囉！」讓我聽了煞是欣慰。

最後一個寒冬之日，祖母死了。

過完年後，嫂嫂的肚子漲得幾乎撐破肚皮，媽媽跟我也忙著處理家務，不大能陪祖母聊天。

某一晚，我結束一天的工作，坐在梳妝台前。化妝品的瓶子輕微擦撞，很難得地吵醒了祖母。「朱鷺子，朱鷺子。」她如常呼喚我。

「怎麼了，奶奶？熱水袋又冷掉了嗎？」

「不是啦，只是有件事我一直放心不下。」

「什麼事？」

祖母拉動枕邊的檯燈開關，黃色光線朦朧地照出榻榻米的線條。她用眼神示意我跪坐在她枕邊。

「你幾天前不是拿骨頭給我看嗎，那東西呢？把它收到別的地方了嗎？」

我的捉弄慫開始蠢蠢欲動。

「是呀，奶奶。我把它搗碎放到您的糖果壺裡了。人骨可以做成藥材，古時候的人可是求之不得呢。」

祖母又對我投以狐疑的目光。那雙眼睛看起來有點無助，我趕緊為自己嚇唬老人家的舉止道歉。

「才怪。騙你的啦，奶奶。它還在我的梳妝台上。」

祖母似乎對自己被騙感到又難為情又好笑，索性拉高棉被。

「你這孩子真討厭。」

「朱鷺子，那骨頭看你要埋在院子裡或藏到哪裡都好，不要再放在自己看得到的地方。死人就應該消失在活人面前，你不能憑著一己之私把它留下。」

「可是那樣一來，不管是死人或是活人，都會覺得很寂寞呀。」

「哪兒的話，死人才不會寂寞哩。而且活人還有回憶呢。」

語畢，祖母便不再開口，只是一逕嚼著糖果。「晚安。」我喃喃說著，離開祖母房間。

隔天早上，嫂嫂端早餐進祖母房裡，發現她已在沉睡中逝去。

哥哥拒絕將裝糖果的有田燒壺拿來當作祖母的骨灰罎，我覺得很可惜，因為祖母一定也會贊成這樣做。山不轉路轉，我索性用薄紙包著糖果塞進祖母的壽衣懷裡。她的皮膚又滑又冷，埋藏在她心中的謎團再也無人能解，我們唯一能做的，就是為這個度過奇妙一生的人送行。

祖母在山上的火葬場中化為白骨。她的骨頭和老師不同，看起來脆弱而纖細。我和其中一個小姪子好不容易才將骨頭撿完，因為小姪子不大會用筷子，容易一時心急改用手抓，光是阻止他就耗費我好多力氣。

「你去叫媽媽坐下。」

我把姪子推給嫂嫂，走近尚未封上蓋子的骨灰罎，然後從胸口掏出小心翼翼帶來的老師骨片。沒有人注意到我。

祖母的骨灰罈納入冰冷的石頭下方。

我在墓前雙手合十，神清氣爽地離開墓園。今後來參拜蒔田家的列祖列宗時，我也能偷偷幫老師掃墓了。將來某一天，終生不嫁的我也將走完人生，躺進這座墳墓，躺進老師的骨片永眠的黑暗狹窄空間裡。屆時我的骨灰罈將發出微微熱度，而老師的骨片必定會悄悄發出聲響來回應我。

不過那還是很久之後的事。

在那一天到來前，我會活在自己的咆哮山莊。「咆哮山莊」的居民憑藉智慧、勇氣與想像力開闢活路，而我也會向他們看齊，在咆哮山莊活出一片天，並將老師的回憶藏在心底。

有人覺得它的世界觀很狹小嗎？

老師所提出的問題，將永遠、永遠縈繞在我心頭。

紙雕

沒有人能真正報復他人。
人只能嚥下這口氣繼續生活，
只要能做到這點就夠了。

第一次遇見熊谷勇二，是在品川。

里子抱著睡著的太郎前往同樣位於水族館內的咖啡廳，恰巧撞見丈夫阿始和某個陌生男人正在談話。她一邊搖著懷中沉甸甸的太郎，一邊站在稍遠處觀察他們倆。

離日落還有一段時間，店內坐滿了享受下午茶的家庭與情侶，每一桌都放著色彩繽紛的聖代與蛋糕。不知為何，店中央有一座貨真價實的大型旋轉木馬，上頭沒有乘客，假馬和馬車伴隨著華麗的音樂不停轉動。

阿始和男子隔桌而笑，桌上只有咖啡杯。他們倆看起來有點不自然，也有點羞澀欣喜。里子認為他們應該是老朋友，此時阿始察覺里子與太郎也在。

「啊，這邊這邊！」

阿始坐著舉起手來。里子走近丈夫那桌朝男子點頭致意，男子也點頭回禮。

「他是我高中棒球社的學弟，叫做熊谷勇二。」阿始介紹男子的身分。「我正在喝咖啡，結果他過來跟我打招呼，真是嚇到我了。大概十五年不見了吧？剛剛我們才聊到世界真的很小呢。」

「你好。」里子對勇二說道。

「我結婚快滿五年了。」阿始轉向勇二。「這是我老婆里子，還有我兒子太郎。」

「你好。」勇二也向里子打招呼。

他在假日獨自來水族館？里子暗忖。既然是阿始的學弟，那麼年齡應該跟里子差距不大，但勇二看起來卻很年輕。他的白色T恤上罩著一件藍色襯衫，頭髮略長，不修邊幅。他這身打扮不像假日的休閒裝扮，倒像平時就是這副模樣。

勇二在襯衫胸前的口袋摸索菸盒。桌上沒有菸灰缸，店內似乎禁煙，空氣一片清新。這是他無意間的動作嗎？勇二馬上將手擺回桌上。里子注視著勇二骨感而細長的手指，勇二似乎察覺到她的視線，抬頭望向仍然站著的里子，露出微笑。

里子趕緊屈身將太郎安置在嬰兒車上。企鵝區人潮洶湧，推嬰兒車不好走，所以她才將嬰兒車和行李交給阿始看顧，獨自帶太郎去參觀企鵝吃魚。

剛離開里子溫暖的懷抱時，太郎顯得不大高興，但幸好沒被吵醒，安然躺進嬰兒車。里子拉開阿始旁邊的椅子坐下。終於能坐下來休息，她不禁大鬆一口氣。

「辛苦了。」阿始邊說邊將店員送來的菜單遞給里子。「怎麼樣？」

「他興奮得不得了，把我弄得好累。」

里子迅速瀏覽菜單，卻累得完全不想思考。她向店員點了第一排的綜合咖啡，阿始和勇二的咖啡也涼了，所以跟著加點。三杯咖啡很快就送來了。

「企鵝會乖乖排隊等吃魚耶。只要一吃到魚，幾乎都是直接吞下去回到游泳池裡，每次都把太郎逗得好開心。」

「照片呢？」

「拍了。」

里子打開手機亮出幾張照片。太郎對鏡頭露出笑容，背後的玻璃另一側是一群排隊等吃魚的企鵝。勇二也適度表示興趣，窺向手機螢幕。

「真不敢相信，村田大哥已經結婚生子了。」

「這話什麼意思啊。」阿始說。

「任憑你想像囉。」勇二一笑置之。「太郎弟弟幾歲了？」

「兩歲。」

「好可愛喔。」

語畢，勇二啜飲咖啡。里子看著他那清瘦的面頰輪廓，以及端著茶杯的厚大巧手。勇二將杯子擱在桌上，又微微揚起嘴角。里子將視線移向旁邊的嬰兒車，假意觀察太郎是否已入睡。

「你結婚了嗎？」

「你以為我找得到對象嗎？」

「……這小子說自己是紙雕藝術家呢。」

聽了阿始的話，里子一時還是無法會意。

「不是有一種工作是用紙製作立體動物跟車子嗎？」勇二解釋道。「我是負責製作分解線稿的人。」

「喔。」里子點點頭。「水族館的販賣部有賣海豚跟小丑魚的ＤＩＹ套組。」

「還有皇帝企鵝喔。它們的線稿是我做的。」

「你以前就很擅長做這些東西嗎？」

阿始一說，勇二不禁苦笑。

「這個嘛，我以前就很喜歡做手工藝。我房間不是有很多紙雕跟組裝模型嗎？虧你來過好幾次，連這點都沒發現。」

「我不大記得耶。」

「村田大哥，誰教你以前就是個滿腦子只有體育的棒球痴。」

「你很沒禮貌耶。」

緊接著，阿始和勇二便聊起高中時代的往事，例如：棒球社的教練有多凶暴啦、勇二老是幫阿始跑腿買麵包啦、阿始每學期一定會有一科不及格啦，天南地北聊個沒完。

勇二似乎顧慮著里子，總是簡單明瞭地對里子解釋話題原委，或是半開玩笑地將話鋒轉向里子，問她：「村田大哥平時就是這樣嗎？」多虧勇二，里子才能融洽地加入他們倆。

太郎醒來了。他想從嬰兒車上下來，三人只好結束這場僅有半小時的閒聊。里子牽著太郎的手，而阿始則拿起行李，推著空空的嬰兒車。

「我來付。」阿始說。

「謝謝招待。」

勇二不與他爭論，之後還特地到建築物外頭送別即將返家的里子他們。

「村田大哥，下回有空一起喝一杯吧。」

語畢，勇二和阿始互相交換聯絡方式。勇二的手機沒有任何吊飾，那台銀色最新機種在微橘的陽光中，反射出冰冷的光芒。

「我住在大崎，有空來我家玩啊。」阿始說。

此言聽在里子耳裡只是客套話，勇二卻將它當真，笑著說：「我住在五反田耶，好近喔。」然後將手機塞在牛仔褲後面的口袋中。

勇二說他是來販賣部調查商品銷量，順便賞魚。

「那拜拜囉。」他說著轉向方才那棟建築物。「拜拜，太郎弟弟。」

里子身旁的太郎反射性地揮揮手。

阿始在品川車站的月台不停玩手機，連搭上山手線還在玩。「我要跟公司的人聯絡一下明天開會的事。」他說。里子在車上揪著太郎的後領，因為喜歡企鵝的太郎同樣喜歡電車，只要稍不留神，他馬上就會在車內亂跑亂竄。

「今天我不想做晚飯。」

經里子一說，阿始才終於關上手機，大概是簡訊傳完了吧。

「好啊，那我們待會找個地方吃飯。」

該說的話都說了。從大崎車站到家裡這段不到十分鐘的路途，里子一路上都沒有開口。

里子幾乎每天都待在家裡。

她利用網購解決生活所需。太郎已經學會清楚表達自己的意見，他會在超市吵著要買零食，也會在書店門口站著不動，嚷著說要買「魚魚的書」。一想到出門得帶著太郎，她頓時就變得哪兒也不想去。

偶爾，她會在週末與阿始和太郎一同出遊，或是將太郎留給阿始照顧，出門和朋友聚會。結果玩得也不盡興。因為阿始容易對小孩失去耐心，而曾幾何時，她也和沒有小孩的朋友失去共通話題，所以她寧願成天待在家裡，這樣輕鬆多了。

太郎很喜歡說一些從電視上學來的話，但里子懶得一一搭理他，否則早晚被他搞瘋。

最近里子不再教太郎練習上廁所了。好幾次太郎說「噓噓」時已經尿出來，也有幾次她看準時間帶太郎去廁所，他卻強調自己「尿不出來」。她被太郎耍得團團轉，也厭倦教導這個比其他小孩都棘手的孩子，反正等時機成熟，他自然就會上廁所了吧。

太郎已學會獨自吃飯，也能在旁人的幫助下穿上簡單的衣服。這兩點雖然值得慶幸，里子卻沒有因此多出什麼空閒。即使有空，她也沒有什麼想做的事，如今她已不需要出去工作，也不想學習什麼才藝。

結婚才剛半年，她就厭倦了和阿始共度的兩人生活。之後她一度流產，然後又懷上太郎。她拼命忍受這段期間的身體變化，時間一眨眼就過去了。生下太郎這兩年來，養小孩的日子很快就令她心生厭煩。

可是不管多麼厭煩，太郎也不會消失。

唯有時間緩慢地不斷累積。一想起今後這幾十年還得繼續幫太郎擦屁股、跟阿始盡夫妻本分，里子就想尖叫。她當然不會尖叫，但是對未來也沒有具體的期望，事實上成天在家裡吃飽喝足的日子還挺輕鬆的，因此她長久以來也沒抱怨過什麼。

阿始的父母為孫子送來許多玩具啦、ＤＶＤ之類的東西。反正只要拿玩具給太郎，他就會自己玩，於是里子趁著太郎看迪士尼動畫時打掃、切菜。廚房的窗外是一棟棟的大廈，從大廈縫隙間望過去，可以窺見遠方的東京鐵塔。

星期五晚上剛過九點，阿始打電話來了。

「我現在要帶朋友回家。」

「這樣太突然了啦，家裡什麼都沒有耶。」

「我們吃過飯了，你不用招呼客人啦，反正對方是熊谷。你還記得吧？就是上次在水族館遇見的那個人啊。」

里子掛斷電話，匆匆將睡衣換成家居服，但想想又覺得「換上外出服比較好」，於是再度更衣。她跟太郎已經一起洗過澡，接下來太郎就該睡了。

「爸爸說要帶客人回家，你要當乖孩子喔。」

語畢，她趕緊到洗臉台化淡妝。太郎答了聲「嗯」，在客廳乖乖看電視。

電鈴一響，大門也應聲開啟，此時里子正在準備三盤下酒菜。太郎從客廳衝到走廊大喊：「爸爸！」抱住阿始的腿。「我回來了。」阿始抱起太郎。里子從廚房探出頭，心想：怪了，他平常明明只會摸摸太郎的頭呀。

阿始背後的勇二脫下鞋子，踏入走廊。

「不好意思，這麼晚還來打擾。」他說。

勇二的穿著依然如學生般輕便。

「哪兒的話，把這兒當自己家吧。」里子說。

勇二一踏進客廳，便走到窗邊說：

「哇，好棒的景色啊。」

里子他們所住的大廈共有二十七層，他們位在第二十五層，錯綜複雜的道路以及十樓高的大廈在此一覽無遺。儘管白天的景色蒙上一層灰，一到夜晚，凌亂的市容全變得一片黑，唯有點點燈火映入眼簾。

太郎怯生生地靠近勇二，興致盎然地抬起頭。

「太郎弟弟，你每天都住在天上耶。好棒喔。」

勇二微笑地將手擱在太郎頭上。

里子在電視機前的玻璃矮桌擺上下酒菜與冰塊。在臥室更衣完畢後，阿始到廚房選酒。

「你想喝燒酒還是日本酒？我們家沒什麼洋酒耶。」

阿始一喊，勇二便回頭望向矮桌。

「燒酒好了，幫我加冰塊。」

勇二離開窗邊，在黑皮沙發組上坐下。阿始在玻璃杯中加入冰塊和燒酒，遞給勇二。

「夜景沒什麼好稀奇的吧？」

「能在自己家看見這種景色，可是很難能可貴呢。」

勇二輕啜幾口酒。他和大口狂飲的阿始完全不同，或許酒量不大好吧，里子心想。里子和太郎坐在沙發邊緣，小聲看著迪士尼動畫。

「真是棟好大廈啊。」勇二說。

他的語氣不卑不亢，只是淡然陳述事實。

「貸款可不少呢。」阿始不置可否地笑道。「你也可以靠自己買房子啊。」

里子突然對阿始心生不耐。買房子的錢大部分都是阿始的父親出的，而還貸款的錢雖然是阿始賺的，但他是靠父母的門路才進公司的啊！里子才剛想完，便對自己的想法感到訝異。

「高飛狗。」

太郎指著螢幕。「對呀。」里子接腔道。

「我問你喔。」阿始說。「用紙做得出那種角色嗎？」

「想做當然做得出來，但迪士尼是很重視版權的。」

勇二的表情相當沉穩。「光靠做紙雕活不下去，所以我也會打零工，說穿了就是打工族啦。」

「什麼樣的零工？」

里子打岔問道。勇二烏黑的眼眸映照著里子。

「就是一些出賣勞力的工作囉。」他靜靜將手中的玻璃杯擱在桌上。「我可以抽菸嗎？」

「啊，不好意思，麻煩你去抽油煙機那邊抽。」

阿始一說，勇二便從沙發起身。

「村田大哥，你戒菸了？」

「有了小孩就戒菸囉。」

阿始為自己倒第二杯酒，里子則帶勇二去開放式廚房抽菸。她打開抽油煙機，尋找收在餐具櫃深處的菸灰缸。勇二從胸前口袋中掏出菸盒。

里子察覺勇二是左撇子。「請用。」她將好不容易找到的菸灰缸放在流理台，勇二叼著菸道了聲謝。廚房窗戶開著縫容易使菸味擴散，於是里子從勇二背後走過去關窗。

「哇。」

里子耳邊響起勇二的聲音，只見他伸長夾菸的那隻手抵向窗戶，擋住里子的去路。她嚇得轉身抬頭。

「這裡看得見東京鐵塔耶。」

勇二將視線從窗外移向里子，接著徐徐向後一退，再度抽菸。香菸夾在他纖長的兩指之間。

里子匆匆回到客廳。阿始邊看電視邊問太郎：「這個好看嗎？」太郎點頭回答：「嗯。」

「對了，下週一我又得出差，要在廣島住一晚。」阿始說。

「這樣啊。」里子心不在焉地答道。

勇二抽完菸後，回來坐在沙發上。

「你常常出差嗎？」

「最近還滿常出差的。」

「辛苦你了。」

不知為何，勇二說這句話時，里子看不到他的表情。

午夜十二點後，勇二離開了。

「再來玩喔。」

阿始的語氣比在品川分別時誠懇多了。這位突然冒出來的學弟相當謙和有禮，所以才能使他解除心防，隔著適當的距離展現學長風範。

大門即將關上時，里子猛然抬頭，卻只看到勇二的背影。里子感到氣憤，她氣勇二忽然做出莫名其妙的舉動，氣自己對小動作反應過度，也氣阿始完全沒發現異樣。

阿始在哄太郎入睡，里子則趁著這時收拾矮桌。她先清洗杯盤，最後才處理殘留在流理台上的菸蒂。她將菸蒂倒在廚餘濾網並輕輕沖洗，一顆心才終於獲得平靜。

當阿始洗完澡鑽進棉被中，里子已經斂起憤怒與喜悅，恢復為平時的自己。

之後，阿始仍然三不五時帶勇二回家，也依舊每個月到廣島出差過夜兩次。

「在我這個不用出差的人看來，出差好新鮮喔。」勇二說。

「聽說下個年度就不必頻繁出差了。」里子說。勇二和她一直保持距離，後來里子認為他初次來訪發生的那件事，一定是自己多心了。

「都是客戶沒做好交接的關係啦。」阿始說。「他們工作效率超級差。」

勇二又把紙雕分解線稿帶來了。他特地為太郎用電腦製圖，用厚紙列印電車紙雕線稿。

太郎在地上喜孜孜地攤開線稿，用蠟筆著色。他喃喃說著「山手線」、「丸之內線」，在好幾張線稿塗上綠色與紅色。不用說，他還沒辦法把顏色整齊地塗在框框裡，但勇二仍興致盎然地與太郎並肩坐在地上，邊看邊讚美道：「你懂得好多喔～」

「不好意思，真是麻煩你了。」里子向勇二致歉。

「形狀很單純，輕輕鬆鬆就能畫出來，沒花多少時間啦。」勇二說。

太郎每塗完一張紙，勇二就會接手剪貼。雖然形狀單純，但每輛做好的電車都精確捕捉了車輛特徵，不僅圓弧車頭一點都不馬虎，該有的稜稜角角也一個不少。

當晚，太郎沒有包尿布。由於天氣變暖，儘管里子心裡百般不願，還是決心繼續訓練太郎上廁所。再過不久，阿始的媽媽就要來家裡玩了。

「太郎學說話的速度是不是有點慢呀？」「他還在包尿布？」每次阿始的媽媽一來，總是不忘嘮叨幾句。「別人家的男生也差不多呀。」「最近的媽媽好像都不會強迫小孩不穿尿布。」里子盡量輕描淡寫地一笑置之，心裡也知道她是好意關心，但還是覺得壓力很大。

里子見太郎著色時身體扭來扭去，便不時問他：「是不是想上廁所？」但太郎塗色塗得正開心，每次都搖搖頭說：「沒有啊。」勇二吃著堅果，一邊和坐在沙發上的阿始聊天。阿始對太郎的尿布一點興趣也沒有，只顧著和勇二討論職棒開幕戰的戰況。

此時，太郎突然站起來宣告：

「噓噓。」

木質地板頓時出現一灘水窪。

剛從廚房冰箱取出冰塊的里子，立刻衝到客廳。

「媽媽不是跟你說過了嗎？」

里子不禁出聲責備，而阿始則擺著臭臉說：

「髒死了。」

勇二瞠目結舌地看著尿濕褲子站在一旁的太郎，大笑道：

「小孩子真的很天兵耶！」

太郎起初也害羞地笑了，但里子粗暴地逼他脫褲子，一想到連客人勇二都笑他，他便又羞又難過，抽抽搭搭地哭起來。

「啊，抱歉抱歉。」勇二趕緊起身撫摸太郎的臉。「我不應該笑你。用蓮蓬頭沖一沖就好，別放在心上喔。」

此言一出，阿始便心不甘情不願地從沙發站起來說：「喂，過來。」然後將太郎帶到浴室。里子拿起抹布擦拭地板。

「對不起，有沒有弄濕你？」

「沒有。」

語畢，勇二探身靠向單手撐著地板的里子。里子停止動作，只見勇二拈起逃過一劫的分解線稿，將它放在矮桌上。勇二抽回身體後，里子又鬆口氣繼續擦地。

挽起袖子的阿始和開心哼歌的太郎從浴室回來了。

里子為太郎換上乾淨的內褲和睡褲。

「好了。」

勇二將紙雕電車遞給太郎。「說謝謝。」里子示意太郎道謝。「謝謝。」太郎眉開眼笑收下電車。

「不客氣。」勇二說。他沒有看著太郎，反而望著里子，而那瞬間揚起的沉靜微笑，里子也看得一清二楚。

翌日午後，勇二打電話說想送東西過來，問里子方不方便讓他現在過去。

這是勇二頭一次打電話來，也是他首次於阿始不在家時表明想登門拜訪。其實里子心裡多少有底，所以並不感到訝異，但想想還是跟他約在家門前的公園，並騙他自己剛好想帶太郎去公園玩。

里子帶著小小的塑膠桶跟鏟子，告訴太郎：「我們去公園吧。」由於她不常帶太郎去公園，因此他高高興興地跟來了。

現在是平日，公園裡有幾組母子檔正在盪鞦韆或玩沙，那些媽媽她連一個都不認識。里子向她們隨意寒暄幾句，接著獨自坐在角落的長椅上。起初太郎傻楞楞地杵在那兒，但旋即輸給誘惑，朝沙坑狂奔而去。

午後的陽光和煦宜人。

勇二從車站那頭徐步而來，登上緩坡。他的襯衫下襬在風中翻飛，空手漫步於午後街道的他，儼如自由而優雅的野獸。

只見他從公園門口直直走向長椅，彷彿里子的位置早已在他掌握之中。

「你好。」

勇二說著坐在里子身旁。他從胸前口袋掏出香菸，問也不問就抽了起來。

「太郎弟弟喜歡玩沙嗎？」

「他好像不擅長到處蹦蹦跳跳、跑來跑去。」

「村田大哥可是體育健將呢。棒球社沒有人敢違逆他，他簡直像個君臨天下的帝王。」

「這樣呀。」

兩人不再開口。勇二的左手拇指彈了一下夾在食指與中指間的香菸，里子望著白色菸灰抖落地面。

「我說你啊，」勇二忽然粗聲粗氣地說道。「偷看過你老公的手機嗎？」

里子望向勇二，而他也慵懶地將右臂搭上椅背，看著里子。

「有啊。」

語畢，里子又面向前方。她感覺到勇二正盯著她打量。太郎在沙坑堆了一座山。

「那就好。」

勇二恢復為平時的謙和語氣，聲音含著笑意。

「你要給我們的東西是什麼？」

里子一問，勇二便屈身在地上捻熄香菸，將菸蒂隨手一丟。

「太郎弟弟。」

勇二朝著沙坑呼喊，向回過頭的太郎招手。太郎跑過來後，他從胸前口袋掏出紙雕，放在太郎掌心。

「企鵝！」太郎高聲歡呼。

「這是我新做的跳岩企鵝。」勇二說。「小心收好，不然會壞掉喔。」

這隻長度與里子的手指差不多的企鵝相當細緻精巧，假如不摸摸看，簡直看不出它是紙做的。只見它挺著圓滑的胸膛、頂著黃色長眉，後腦杓還滑稽地翹起幾縷捲毛，栩栩如生。

太郎看得入迷，而勇二只是摸摸他的頭，便匆匆離開公園。

「好棒喔。」里子對太郎說道。

里子將企鵝紙雕裝飾在廚房吧台上。阿始對企鵝始終不聞不問，真不知他究竟有沒有察覺。

每當太郎說「企鵝」，里子就會把吧台上的小紙雕拿給他。紙製的企鵝是空心的，非常輕盈。

會壞掉喔。會壞掉喔。

不知怎的，里子心中一直縈繞著這句話。只要輕輕一捏，就能捏壞企鵝——她不知道自己到底是害怕弄壞它，還是渴求著捏壞企鵝的快感。

果不其然，阿始的媽媽又嘮叨了。

「最近你們好像太放任太郎囉，這樣好嗎？」

儘管太郎正按部就班地學著上廁所，一旦他埋頭玩耍或看電視，就變得很容易尿出來。

那天勇二察覺自己傷到太郎的自尊，不僅馬上向他道歉，隔天還親手送上企鵝紙雕，想必心裡很過意不去吧。

一想起勇二的態度，里子便頻頻深呼吸，提醒自己別責怪太郎。

「今天奶奶要來唷，怎麼辦？」

面對里子的詢問，太郎的答案是：「穿尿布。」里子心想：太郎年紀雖小，卻不想在祖母面前出醜，於是幫他穿上尿布。

基於上述理由，她對婆婆說的話實在無法一笑置之。即使她想笑，也笑得很僵。

阿始見家中一片沉默，便輕快地緩頰道：

「因為我們不認識這一帶的年輕媽媽，這傢伙又很我行我素，所以才會偷懶選擇尿布啦。」

阿始說到「這傢伙」時並非看著太郎，而是望著里子，她這才驚覺：「原來是在說我？」內心有點受挫。

「里子已經做得很好啦。」

阿始的媽媽糾正自己的兒子。

偶爾才大發慈悲展現父愛的阿始所說的話，以及婆婆對自己的顧慮，都令里子感到厭煩。

除了尿布，其他部分都很完美。

阿始的媽媽嚴守客人的本分，沒有多說什麼。她吃飯時讚美里子做的飯菜「很好吃」，飯後也到廚房表示想幫忙，適時收拾碗盤，並自願陪太郎玩耍。在客房住了一晚後，夫妻倆帶她逛過大廈周邊，星期天傍晚她就回去了。

「你爸爸說他下次也想來呢。」阿始的媽媽對他說道。

「照片洗出來後，我會寄過去的。」里子說。

在車站送行後，三人回到家中。「唉，我的天啊。」阿始說。

「我說你啊，不要在那種時候說什麼『我會把照片寄過去』好不好？這樣豈不是等於叫他們『不要來』嗎？」

「我沒有那個意思。」里子說。她真的沒有那個意思，但話一說出口，她又覺得或許真是如此。

或許是和祖母玩累了吧，太郎在兒童棉被中睡著了。里子趁阿始洗澡時拿出他的出差公事包，幫他整理住一晚所需的行李。

「來。」阿始洗完澡後，里子將略小的公事包遞給他。「嗯。」阿始接過它，直接擱在臥房角落。

「我媽問我們打算何時生第二胎。」

阿始摟著里子，里子卻只是不置可否地低語道：「這樣呀。」她嗅著阿始一頭濕髮散發的洗髮精香味，好不容易才忍住不說：「我沒那心情。」

「廣島有什麼？」

里子一問，慢條斯理的阿始倏地停止動作。他在昏暗的光線中端詳著里子，眼白射出藍白色光芒。

「有廣島市民球場啊，還有原爆圓頂館。」

「還有呢？」

「宮島。」

「就這樣？」

「我哪知道啊，我是去那裡工作耶。你幹嘛突然問這個。」

「因為下次我也想去。咱們帶太郎一起去吧。」

「好啊。」阿始說。

里子努力配合阿始的動作，輕聲發出嬌喘。會不會太不自然？這樣一想，她突地覺得蠢得可笑，於是一邊假意輕喘，一邊笑了。

完事後，她輕輕在阿始唇上印下一吻，說道：「我去沖個澡喔。」然後在浴室匆匆清理殘留的精液。她望著熱水流向排水孔，心裡舒暢多了。

翌日傍晚，門鈴響了。她本以為是宅配，但出現在對講機螢幕上的卻是勇二。

「上來吧。」

里子說完，打開一樓大門跟樓上的門鎖。

「爸爸？爸爸？」

正在看DVD的太郎，一派天真地問道。

「是呀。」里子說。

開門聲一響，太郎便奔向玄關，不料一見到來者不是他父親，又嚇得掉頭猛衝，躲在踏入走廊的里子身後。

「怎麼了？是熊谷先生呀。他不是給了你企鵝嗎？」

勇二穿著一身灰色西裝，頭髮梳得整整齊齊。他彷彿把這兒當成自己家似的，大模大樣地脫鞋，然後將手上的紙袋遞給里子說：

「來，這是廣島的伴手禮。」

紙袋上寫著「楓葉饅頭」。

「這陣子我常去廣島，所以對那裡變得很熟喔。」

勇二坐在客廳沙發，鬆開領帶，將它塞進長褲口袋裡。斜陽從屋內最大的窗戶灑落，將客廳染成一片橘色。

「住這種高樓大廈的人，好像都不開窗呢。」

勇二從胸前口袋掏出菸盒，放在矮桌上。

「你想喝什麼？」

「請給我開水。」

里子將礦泉水倒入玻璃杯，連同菸灰缸端到矮桌上。太郎跟著里子走進客廳。「繼續看DVD。」里子一聲令下，太郎只好偷瞄勇太幾眼，乖乖在沙發角落抱膝而坐。

「不知道會不會留下菸味。」勇二邊說邊點燃香菸。「你坐吧。」

里子和勇二稍微拉開距離，坐在他身旁。他從長褲暗袋掏出幾張照片排在桌上，照片中的人是阿始和一個女人。

「你好像把每樣東西都放在口袋裡呢。」里子說。「不帶公事包嗎？」

「那樣不方便。」勇二吐出菸圈。「不過暗袋也對左撇子不利就是了。你看，這件的暗袋也是。」

勇二脫下外套，對里子亮出左邊的口袋，接著隨手披在沙發椅背上。

「要不要我告訴你，村田大哥跟這個女人在廣島幹些什麼勾當？」

「不必了，不用說我也心裡有數。」

「奇怪，你怎麼不說『別在小孩面前說這些』？」勇二笑著捻熄香菸。「我想，他們大概做了不少你不曾體驗過的『好事』喔。」

「你到底是什麼人？」

里子強迫自己別再盯著照片，轉身面向勇二。

「打工族啊。我不是說過嗎？光靠做紙雕沒辦法過活啦。」

一聽見熟悉的詞彙，太郎便忍不住轉頭。「去看你的迪士尼。」勇二對太郎擺擺手。

「我在調查村田大哥的私生活。」他說。

「你不是棒球社的學弟嗎……」

「是啊，這是真的。套一句村田大哥說過的話，這個世界真的很小呢。」

原來如此，里子暗忖。

她一開始就起疑了。阿始說勇二在他喝咖啡時過來打招呼，但那家店是無法從外頭看見裡面的；明明勇二有菸癮，為什麼特地踏入禁菸的咖啡廳？她始終想不透。假如想成那是勇二故意藉機接近阿始，一切就說得通了。

「是誰派你來的？」

「照規定是不能說啦，但我就破例告訴你吧。」

勇二抽起第二根菸。「村田大哥經常藉故到廣島出差，而且明明能當天來回，他卻偏要住一晚，花的全是公司的錢。同部門的員工對他很不滿，就算他的後台再硬，這年頭也沒那麼好混，哪能容忍這種既無能又亂花錢的員工。你老公完蛋啦！公司不至於開除他，但八成會暫時發派邊疆，日後別想出頭天囉。」

「為什麼要破例告訴我？」

「你在意的是那點？」勇二笑了。「你該不會以為我喜歡你，所以才來找你吧？」

勇二的眼中射出不懷好意的輕蔑光芒。里子首次主動挨近勇二，黑皮沙發發出小動物被踩扁般的哀號。她刻意放輕嗓音，以免激怒勇二。

「我以為你喜歡我老公。」

里子與勇二打量彼此半晌。率先移開視線的人是勇二。

「我最討厭他了。」他忿忿啐道。「當我接到這件案子，心裡想的是：你活該！」

「你想報復他？」

「心頭的疙瘩還在，哪算得上報復？曾經做過的事，是不會從記憶中消除的。」

里子從勇二手中捏起香菸，擱在菸灰缸裡。

「企鵝！」太郎大嚷。

里子起身將菸灰缸收進廚房，順便將吧台上的企鵝紙雕遞給太郎。

「小心點，別弄壞囉。去看電視吧。」

「你最近好像沒什麼精神。」

里子語畢，阿始先是躊躇片刻，然後才嘆口氣說道：

「公司有一些麻煩。」

她沒有問「怎麼了」，而是回答：「這樣呀。」

客廳地上散落著電車紙雕。差不多該教太郎學習收拾東西了。

「熊谷先生最近都沒來呢。」

「喔，嗯。」

阿始似乎壓根沒留意。「那傢伙大概也很忙吧。」

根本就是局外人，里子心想。誰是局外人？阿始、勇二，還是我？說不定所有人都是局外人。或許大夥兒只是圍著一個外觀華美的箱子繞圈，想進卻進不去。他們一逕遠觀，因而沒察覺那是紙糊的空心箱子。

勇二隨著里子進入臥房。她將門鎖上，和勇二相視而笑。太郎一個人在客廳跟著動畫插曲大聲歡唱。

「他對你做了什麼？」里子問。

「這個嘛，一堆下流的事。」勇二說。

「你可以對我做一樣的事喔。」

明明已事先聲明，勇二卻溫柔地抱住里子。是這樣嗎？里子想。男人就是這種生物嗎？她心頭固然氣憤，卻也感到寬慰、滿足。

那個討厭鬼只會做表面工夫。他從以前就是這樣啊，就是那種討學長歡心，卻被學弟討厭的人。做事永遠只會投機取巧，一到緊要關頭就變成縮頭烏龜。欸，告訴我他對你做了什麼嘛。不要，說了我會軟掉。

兩人緊咬著阿始不放，徹底批評了一番。蠢斃了！他們緊挨著彼此汗涔涔的額頭，咯咯笑著。

她朝客廳一瞧，太郎已在沙發上睡著了。幸好沒有養成他非得要人陪的習慣，里子心想。她抓起矮桌上的菸盒、關掉電視，從廚房帶著菸灰缸和礦泉水瓶回到臥房。

勇二躺在床上閉著眼睛，但似乎沒有睡著。里子用香菸的濾嘴輕輕戳了他的嘴唇，於是他微啟雙唇、叼著香菸起身，自己用打火機點火。

他們將剩餘半瓶礦泉水你一口、我一口地喝完。

「今後你要怎麼辦？勸你還是早點跟老公分一分吧。」勇二說。

「維持現狀。」里子才剛說完，勇二便將瓶子丟到地上。

「老子我啊，最討厭你這種女人了。」

當時那狠咬一口的吻，大概算是勇二唯一粗暴的舉動了。

地板的水在里子眼底逐漸擴散。勇二見里子快滾下床，便維持結合的姿勢輕輕將她拉回。

「地上到處都是紙雕耶。」

阿始在里子身旁單膝跪地，很難得地幫忙收拾。他拾起紙雕電車，一一端詳。

每個人卯足全力，為的就是不被拋下、不被踐踏。

被逼到懸崖邊的阿始低聲下氣地向里子求救，但反正沒多久又會故態復萌。他會擺出一副心安理得的表情，在外頭玩女人、在公司坐領乾薪。但里子覺得無所謂。

怎麼辦？還能怎麼辦呢。里子收拾被蠟筆弄得黏乎乎的電車，竊笑得肩膀一顫一顫。

「明天我來做電車的車庫好了。家裡有紙箱吧？」

「太郎一定會很開心的。你會做嗎？」

「雖然比不上熊谷，不過這點小事還難不倒我啦。」

里子悄悄將手搭在阿始肩上，起身問道：「要不要喝啤酒？」

她趁著汆燙冷凍毛豆時，從廚房窗戶茫然眺望東京鐵塔。勇二再也不會站在這台抽油煙機下。明明曾有過肌膚之親，里子憶起的卻是勇二夾菸抵著窗戶的手，以及背部隔著衣服所感受到的微溫。

她好想再跟他多聊聊，也好想再為他多做些什麼。

里子端著一盤毛豆、罐裝啤酒與兩個杯子，繞過吧台。小小的企鵝映入她眼簾，於是她也將它放上托盤。

原本看著職棒新聞的阿始，注意到那隻企鵝。

「奇怪，家裡有這東西嗎？」

「一直都在呀。熊谷先生說這是他的新作，特地帶過來的。」

阿始沒有問「什麼時候」，只是喔了一聲，將企鵝放在掌心。

「哇，站得起來耶。那傢伙手還真巧。」

「你想起來了嗎？」里子問。

「什麼？」

「熊谷先生的房間。他不是說自己房裡有很多紙雕跟組裝模型嗎？」

阿始沉默半晌。里子將啤酒倒入兩只杯中。

「沒印象耶。」

阿始終於開口，將企鵝悄悄立在矮桌上。「我沒有仔細看過他房間。」

「忙著玩所以沒空看？」

他一時語塞，隨即又朗聲笑道：「對對。」

蠢斃了，里子在心中嘀咕。不過她願意原諒他。既然我原諒了自己，不妨也原諒他吧！里子暗自祈求，希望勇二也能放下過往。

「我好像懷孕了。」

里子一說，阿始趕緊從里子手中搶下杯子，嚷道：「真的嗎！」

「那你就不應該喝啤酒啊。」

「現在還不確定啦，下週一我會去醫院檢查的。」

「這樣啊。」

阿始喜形於色。「好，那我也得多加油囉！」

勇二說的沒錯，里子心想。沒有人能真正報復他人，說穿了，這連還以顏色都算不上。人只能嚥下這口氣繼續生活，只要能做到這點就夠了。

由家中窗戶向外望去，今晚的景色依然耀眼璀璨。

漫步森林

也許有一天，我倆的心會分隔兩地，
但這張笑顏會永遠藏在我心底，
在開花、結果、凋零的完美平衡中，
為我的記憶增添光彩。

「浮羽，你還在生氣嗎？」捨松汗流浹背地問道。

「對。」我說。

「聽我說，總之咱們先出去吧。我的腳麻了，而且頭昏腦脹。」

「誰教你說我肚子肥嘟嘟的！」

「我只是一時口誤嘛……」

盛夏的星期六午後，我倆在浴缸中對坐。老舊的水泥公寓一片靜謐，彷彿除了我倆別無他人。蟬鳴迴盪在浴室的細小馬賽克磁磚之間。

「我想喝啤酒。」

我趕緊拉住正想起身的捨松。

「不行！水位會變低啦！」

「我們可是在大白天泡澡泡了一個小時耶。再不補充水分，對身體不好啦。」

「你也不想想，是誰害我們連洗澡水都得斤斤計較？是誰在外面閒晃兩星期，連生活費都沒給，好不容易晚上回來，卻對女友說什麼：『你肚子肥嘟嘟的。』」

「什麼女友，你是我老婆耶。」

我冷哼一聲。捨松心不甘情不願地坐回浴缸。

「可是啊，只有我一個人猛流汗耶。你是不是代謝不良？」

「所以才會胖，你是這個意思嗎？」

「不是啦。」捨松侷促地挪挪腳。我小心翼翼地將他碰到我下腹部的那隻腳抬到旁邊，繼續忍受在酷暑中整個人浸在熱水裡的苦行。

此時，玄關傳來開門的吱嘎聲。

「討厭，是不是有人來了？捨松，你有鎖玄關嗎？」

「沒耶。」

捨松慵懶地將後腦杓靠在浴缸邊緣，搖了搖頭。

「為什麼不鎖呀！」

我們還來不及反應，來者的腳步聲便步入室內，先走到廚房與客廳，接著走向浴室。

「欸，捨松，說不定是小偷……」

捨松似乎已泡澡泡昏頭，我抓住他的肩膀用力搖晃，但他只是遲鈍地呻吟幾聲。

浴室門猛然開啟。

「嗨，捨松！你家好棒喔，樓梯扶手是裝飾藝術風耶！」

一名金髮碧眼的男子說著一口流利的日語。我嚇得大氣不敢吭一聲，捨松則慵懶地扭動脖子，注視這名非法入侵者。

「……呃，我是不是打擾你們了？」

身著西裝的金髮碧眼男看著共浴的我們，笑著露出潔白的牙齒。

「理查！」

捨松匆匆起身，而我則趕緊在水位變低的浴缸中縮起身子。

「你什麼時候來日本的？」

捨松赤條條地走向那名叫做理查的男子，親暱地拍拍他的肩膀。

「今天早上啊。很高興你過得不錯。有新任務囉，捨松。」

「你說那個啊？」

「是啊，其他人似乎也對這東西有興趣，所以我希望你能接手，免得被別人搶先一步。」

我丈二金剛摸不著頭腦，只顧著從浴缸中大叫：

「你們倆快點出去啦！」

我下意識放慢穿衣服的速度，待我來到客廳，理查已經不在了。只穿一條牛仔褲的捨松倚窗席地而坐，啜飲罐裝啤酒。

「那個人是誰？他回去了嗎？」

「我朋友。那傢伙可忙的呢。」捨松將飲盡的鋁罐捏扁。「不說這個了。浮羽，我待會要出去，最晚明天回來。」

我頓時一陣惱火。

「你要去哪裡？昨天不是才剛回來嗎？明天輪到我們割公寓院子的草耶。」

「噯，我們不是夫妻嗎？夫妻就是應該互相幫忙啊。」

「你什麼時候幫過我？」

捨松明明整天游手好閒，只有我一個人為他忙東忙西。我氣不過，便從五斗櫃中取出一張文件。

「還有，你看！結婚申請書還在這兒呢。其實我們不是夫妻喔，嚇到了吧！」

我攤開紙張，把它當成黃門大人的印籠[11]高高舉起。

「嗯——原來是這樣啊，我都沒發現。」

捨松仔細端詳紙面，但隨即堆起笑臉。

「可是浮羽，你幫我把它都填好了耶，我好開心喔。」

天啊……我就知道這個人腦筋接錯線。捨松不理會萬般無力的我，逕自套上T恤，背起愛用的破背包，說了聲「那我出去囉」就悠哉出門了。

「臭捨松！出去就別回來！」

儘管這一戶是用捨松的名義租來的，我還是忍不住大吼。

我和捨松是在「高中生的理工困境座談會」派對會場認識的。

政治家、官員、大學教授在座談會後，利用市內飯店辦了這場名為交誼會的派對。我任職的理工叢書出版社也受邀參加，而我們員工則被派去為熟識的教授義務幫忙。

我只是個櫃台小妹，但隨侍在那名大學植物學教授身旁的捨松卻非常引人注目；原因之一是他在眾多大人物中顯得較年輕，而最大的原因是他看起來髒髒的，與這兒格格不入。明明是冬天，他卻穿著老舊的牛仔褲與紅色短袖T恤，連外套也沒穿。他的T恤胸口印著

---

11 日本古代用來裝印鑑或藥物的小容器。水戶黃門是日本民間故事中家喻戶曉的角色，真正身分為水戶藩第二任藩主德川光圀。他平日喜歡帶著手下微服出巡，每當要懲罰壞蛋時，身旁的手下就會亮出有德川家家紋的印籠。

「Rio de Janeiro」幾個白字。

自助式餐會開始了，從職務中解脫的我一會兒去正中央的餐桌盛食物，一會兒站到牆邊用餐。我一邊心不在焉地掃視場內各處的聊天圈子，一邊吃沙拉；定神一看，我身旁的捨松竟然狼吞虎嚥地瘋狂猛吃。他故意把小桌子拉到他身邊，然後再把事先端來的豐盛料理一字排開，從第一盤吃到最後一盤。

我被化為飢餓野獸的捨松嚇得悄悄往旁邊一退，然而捨松卻端著最後一盤食物，朝我逐步逼近。我不敢躲得太露骨，只好用眼角餘光盯著他，僵在牆角；此時，他終於開口了。

「你喜歡蔬菜嗎？」

「啥？」

我不自覺望向捨松，只見他一臉認真地看著我。捨松的個頭比我高許多，明明是冬天，膚色卻晒得黝黑。他握著叉子的手相當厚實，胳膊也很粗壯。當時我認為，他除了擔任教授的研究生，肯定也在外兼職粗重工作。

捨松說：

「剛才你不僅吃了點綴料理的荷蘭芹跟豆瓣菜，連芫荽也吃了。很多人可是避之唯恐不及哩。」

「這……這個嘛，我喜歡葉菜，大致上都喜歡。」

我膽顫心驚地答道。捨松將盤子一掃而空，將空盤遞給路過的服務生。

我倆呆呆地並肩杵在原地，耐不住沉默的我率先開口。

「你晒得好黑喔。平常從事什麼運動？」

「我在亞馬遜待過四年。」

我本以為他開玩笑，但捨松依然滿臉認真地望著我。此時，我終於認為他八成是植物學家，於是從公事包中掏出名片致意。

「我是森田浮羽，平時承蒙神田老師關照。」

捨松直直地注視我的名片，喃喃說著：「浮羽（Uhane）……小姐。真是個好名字啊！令尊跟令堂是不是夏威夷人？不，我想一定是夏威夷人吧。」

「啥？」我又愣住了。「呃，不是耶。」

「不是嗎？」

捨松面露苦澀。「好奇怪喔。Uhane在夏威夷古語中是靈魂、魂魄之類的意思耶，你的名字不是取自於這個單字嗎？」

聽都沒聽過。

「不……我是福岡縣浮羽郡人，飄『浮』的『羽』毛，我的名字是這樣來的。」

「哪有這種事！」

捨松搔亂自己的頭髮，一副天要垮下來的樣子。「那麼，假如你是狛江市人，不就要叫做狛江？哪有這種蠢事啊。」

拜託你這個陌生人，不要對我父母的取名風格說三道四好嗎？我板起臉來問道：

「請問你是……」

捨松挺起胸膛，報出自己名號。

「我叫松尾捨松。」

你自己的名字還不是老土到不行，搞得跟戰國諸侯的乳名一樣。我又傻眼又生氣，甚至差點笑出來，不過我忍住了。

「浮羽小姐，我想跟你去森林散步。」

只見捨松害羞地快速說完這句話，便逕自轉頭離去。

「那個人是怎樣呀……」

我納悶地偏偏頭，咀嚼剩下的沙拉。

翌日，捨松在我公司外埋伏，一逮到我下班就約我去喝酒。三個月後，我倆開始在捨松的住處同居。

才交往沒多久，我就察覺捨松既非學生也非研究員，但沒有深究他的職業。我曾偷看捨松的護照，上頭淨是些亞馬遜河流域或喜馬拉雅山脈周邊的國家，幾乎都是一般觀光客興趣缺缺的地點。和我同居後，他曾經好長一段時間不回家，也曾甫出門便馬上回來。

捨松並非完全沒有收入，他一年會給我一兩次錢，一給就是五十萬、上百萬。我曾懷疑他走私毒品，但是沒勇氣問他。話說回來，捨松這個人身上根本一丁點犯罪氣息也沒有。

交往半年後，捨松在結婚申請書上填好自己的欄位，然後遞給我說：「拿去寫一寫。」說完又消失一星期。我將申請書填好收進五斗櫃，直到相識的第二年夏天到來，截至今日，才讓它重見天日。

捨松依然渾身充滿著謎團。

為什麼我會跟捨松這種來路不明的男人同居呢？本來不應該這樣的。腳踏實地工作的我，應該正常過生活才對。我本來打算選個能放心介紹給父母的結婚對象啊。

然而，捨松這個男人卻一把火燒掉我的人生藍圖。原本我可以一個人過得衣食無缺，但拜沒有固定收入的捨松所賜，生活頓時變得非常拮据。我非但不敢將捨松介紹給父母認識，到頭來連朋友都憂心忡忡地問我：「欸，捨松這個人可靠嗎？」

即使如此，不知怎的，我卻一點都不考慮和捨松分手。

每當出席朋友的婚禮，我總覺得哪裡怪怪的。他們只要年屆適婚期，就找個年紀相當、經濟過得去、長相也不至於醜得可笑的對象速速結婚，這樣一點美感也沒有。和捨松在一起，完全沒有這種問題。

只要捨松沒有搞失蹤，家事幾乎都由他一手包辦。每次我下班回家，捨松都會用公寓院子裡摘來的紫蘇葉做成炸天婦羅；吃完晚餐後，他又會拿院子裡採來的魚腥草煮茶給我喝。

儘管捨松在經濟上扯我後腿，而且連一套西裝都沒有，和他在一起卻令我品嘗到「生活」的美好。此時我才恍然大悟，朋友們或許就是藉由結婚追求這種充實感，換成是她們，肯定不會和捨松這種男人結婚。

撇除莫名其妙的流浪癖不談，其實捨松和我還挺適合的。在紙上寫下將來的計畫輕而易舉，但紙筆無法記錄人的心境。我唯一的興趣就是制定存錢計畫，可是萬萬沒想到，自己骨子裡其實是個愛做夢、隨遇而安的人。認識捨松後，我才明白自己的另外一面。

為了日後和捨松繼續生活下去，我決定今天一定要跟蹤他。假如他突然跑去亞馬遜流域，我還真不知該如何追上，但看來他這回不打算出遠門。我匆匆鎖好門窗，抓著錢包到路邊攔下一台計程車，前往車站。

我在剪票口追上捨松，看著他一派輕鬆地走下通往月台的階梯。我不知道他究竟想去哪裡，便姑且買了張最低票價的車票。

乘客稀少的下行電車穿越郊區，飛馳於田野之間。我登上捨松隔壁的車廂，透過車廂間的窗戶偷窺他的一舉一動。捨松重重坐下，從背包中取出香蕉，大口吃了起來。那似乎是從站前的蔬果店買來的。他以為自己在遠足嗎？要遠足幹嘛不找我？尚未吃午餐的我伸手摸著咕嚕作響的肚子，屏氣凝神盯緊捨松。

盯著盯著，我居然不知不覺睡著了。我猛一回神望向捨松，只見他正懶散地靠在椅背上睡大頭覺。幸好沒跟丟他，不過話說回來，這兒是哪裡呀？看看時鐘，我們已經搭車兩小時了，途中經過許多隧道，窗外淨是翠綠山巒。

捨松醒來伸了個大懶腰。電車停在某個小站，他背著背包起身，我也趕緊下車，躲在月台的柱子後面。在同一站下車的老婆婆背著竹簍經過我身邊，投來納悶的目光。捨松邁著穩健的步伐，頭也不回地從剪票口走向站外。

我也小跑步奔向剪票口，然而那兒卻沒有站員，只有一個小木箱擱在上頭，用意大概是讓旅客自行投入車票。我心想這下慘了，站員不在，我該怎麼補票？但既然已跟到此地，我也不能跟丟捨松，只好在口中道聲：「對不起。」然後將最低票價的車票投入木箱。

出站後，小小的圓環映入眼簾。豔陽高照，蟬鳴震耳欲聾。我看看公車時刻表，一天竟然只有三班車。站前只有疏疏落落幾戶人家，某處傳出風鈴聲與高中棒球實況轉播。

捨松到底在這種窮鄉僻壤做什麼？就算是走私毒品，選港口倉庫或都市鬧區也比這兒好吧？不過我也沒什麼根據就是了。

該不會……一個可怕的疑忌占據我的心靈，我旋即到自動販賣機買瓶茶狂飲幾口，這才靜下心來。難道說，捨松的情婦住在這裡？

我單手握著寶特瓶來到車輛稀少的站前道路，看見捨松悠然向前邁步的背影。

事實上，我跟捨松根本沒有結婚，所以嚴格說來不能稱之為情婦；更重要的是，捨松這人跟「可靠」一詞的距離有如地球到昴宿星團那般遙遠，哪有本事養情婦？話說回來，捨松之所以異常擅長調理野草，或許就是這塊窮鄉僻壤的當地女子一手教導出來的。我燃起一股幾乎煮沸手中那瓶茶水的怒火，繼續跟蹤他。如果捨松膽敢踏入女人家門一步，我就衝進去把他揍得連他媽都認不出來。

捨松應該不至於察覺我的殺氣，卻連瞧都不瞧家家戶戶一眼，徑直走向山腳。我快喘死了，你到底想走到哪兒去呀？我不想管你有沒有情婦了，拜託你隨便找戶人家進去休息好嗎？

然而我的希望落空，捨松依然馬不停蹄地往山間小徑邁進。我完全沒空觀察四周，待一回神，腳下的道路已變成沒鋪柏油的碎石路，最後變為一片泥土。群木遮天蔽日，山坡雖陡，好在樹蔭令我稍微鬆了口氣。

走到山路中段時，捨松終於停下腳步。我趕緊閃進路邊的草叢，躲在樹後。捨松睜大眼睛左右張望，摸摸樹幹又摸摸地上的岩石，接著慢慢撥開偏離道路的草叢，走入山中。

我連滾帶爬到路上，衝到捨松走入山中的地點。疏於管理的人工杉樹蓊鬱怒長，蕨類植物覆蓋整片斜坡。捨松登上山坡，背包在群木間若隱若現。

「不會吧……」

我俯視自己身上的洋裝及涼鞋，哪有人穿這樣出遠門？這比捨松養情婦還慘。我幹嘛非得跟自己過不去，在大熱天來這種荒郊野外？不過，就這麼消沉下去也不是辦法，於是我下定決心，邁向草叢。

假如跟丟捨松，我鐵定會在山中遇難。儘管蚊蟲多，身體也被樹枝、野草劃得遍體鱗傷，我仍然拼命爬坡；裝著錢包和寶特瓶的竹藤包，被我用洋裝的腰帶斜斜綁在身後。我越來越不明白，為什麼自己會淪落至此？我只是想知道捨松究竟在哪裡閒晃而已呀。

「死捨松……」

我氣喘吁吁地狠狠咒罵一句，賭氣地一步步往上爬。當然，捨松完全不知道我在後面跟蹤他，因此絲毫沒放慢腳步。我滿頭大汗、流下無助的淚水與鼻水，沿著捨松踩過的草皮與被小刀砍斷的樹枝，爬上山坡。

這段路途似乎很長，但其實才約莫三十分鐘。我終於登上山頂的平坦地帶，前方離森林有一段距離，另一頭傳來浪潮聲。我站穩疲軟的雙腳，走出森林。

涼爽的海風輕拂面頰，斜陽迎面射下，山的另一側是臨海懸崖，放眼所及盡是蒼穹。我在這意料之外的開闊空間深吸一口氣。

眼睛習慣明亮後，拴松的身影驀然映入我眼簾。雖然逆光，但我看得出他正大膽地探出身子窺探崖下。本想大叫嚇唬拴松的我不禁倒抽一口氣，因為他抬身挺直腰桿，一副要跳崖自盡的模樣。

「呀～千萬不要啊，拴松！」

我不管三七二十一，從背後衝過去抱住拴松的腰。

「啊嘎！」

拴松怪叫一聲，在懸崖上左搖右晃。方才的山路已令我筋疲力竭，我只好抱著拴松的腰癱在地上，但依然堅決不放手。

「別想不開呀，拴松！我沒想到你會受到這麼大的打擊，明天我一定會把結婚申請書送出去的。啊，告訴你喔，公所星期天也收件呢。答應我好嗎？拜託你千萬別自殺！」

「浮羽，別用力推我，很危險啦……」

拴松好不容易站穩腳步，轉身朝我肩膀一推，將我壓倒。我仰躺在地，拴松則壓在我身上。逃過落崖危機了！我心頭一寬，用力抱緊拴松。

我倆就這樣在地上緊抱半晌，接著拴松站起身來。

「浮羽，你來這裡幹嘛？還有……」拴松俯視著我，噗哧一笑。「你的打扮超猛的。」

「我才想問你呢，何必一個人跑來這種地方尋死呢？」

「尋死？」

捨松一頭霧水。「我只是來採松樹而已。」

仔細一看，捨松的腰間綁著一條繩子，繩索另一頭緊緊繫在懸崖邊的樹上。「對了，松樹、松樹。」捨松起身丟下納悶地癱坐在地的我，再度走到崖邊。

「浮羽，稍等我一下。難得你特地來到這兒，我們一起回家吧。」

說時遲那時快，捨松倏地消失蹤影。我爬著靠近懸崖邊，探頭朝下一望——只見僅靠著一條繩索支撐身體的捨松，正在挖掘長在懸崖中段的小松樹。

捨松從背上的背包一一取出鏟子跟十字鎬之類的工具，小心翼翼地挖開松樹周圍的土，以避免傷害樹根。不久，他將松樹拔起來插進背後的背包，戴著工作手套沿著繩索往上爬。

「嗨，久等囉。」

捨松再度站上懸崖，松樹從他背後探出頭來。我癱軟地仰望著他，好不容易才擠出一句話。

「你……到底在幹什麼呀。」

「是理查拜託我來的啦。他想參加英國的盆栽評鑑會，所以非常想要這種松樹。」

捨松將剛挖起來的松樹移栽到四方型盆缽中，那八成又是從背包裡變出來的。「這棵黑松很棒吧？海風的吹襲讓它長不大，不過它的樹齡肯定超過一百五十年，不簡單喔。」

他將四周的土鋪進盆缽，完成一盆有模有樣的盆栽。接著，捨松將搖身變為盆栽的松樹放進超市提袋，拎在手上。

「好了。浮羽，如果有當地人問你，你就說『他花了很多心思栽培這座盆栽，片刻都不想離手』喔。」

「這……不是犯罪嗎？這種松樹可以隨便挖走嗎？」

「算是遊走在犯罪邊緣吧，畢竟這是別人的土地。」

「喂！說到底，海關會放過它嗎？」

「不要小看盆栽愛好者，世界上可是流通著許多媲美藝術品的盆栽呢。」

捨松得意洋洋地挺起胸膛，那副跩樣與初次向我報出名號時一模一樣。盆栽或許是藝術品，可是這座盆栽是你剛剛向自然界偷來的耶。

我認為，此刻正是我解開心中長久以來疑惑的機會。

「捨松……你的職業是什麼？」

「我沒說過嗎？」

只見捨松擺出古老戰場之老嚮導的架式，肅穆地說道：「植物獵人啦。」

「植物獵人！」

這莫名其妙的名稱令我驚呼一聲。「……呃，那是啥？」

「咦！」

捨松解開腰間的繩索，將它一圈圈捲起來。「那還用問嗎？植物獵人當然是在世界四處漂泊，尋求未知植物的冒險家啊。有時在亞馬遜和印第安人住在一起，向祭司學習藥草知識；有時與孤獨為友，探訪喜馬拉雅的荒僻地帶，發現遍地盛開的新品種花卉；除此之外，我也會像這樣找些能變成盆栽的松樹，好賺點外快。」懂嗎？捨松說。不懂——我搖搖頭。

「那藥草跟花呢？」

「當然是賣給美國那邊的藥廠或英國的園藝家囉。他們會分析藥草成分、開發新藥，也會繁殖花卉、種在庭院，總之這份工作既刺激又有趣，而且又對社會有益。」

「可是，賺不了什麼錢吧？」我說。

「很遺憾。」捨松說。他笑著將我拉起身來。

「這也沒辦法啦。浪漫沒辦法當飯吃，從古至今都是這樣。大航海時代的植物獵人是連根偷取稀有植物，但現代的植物獵人不同，主要使命是發現、保護新的植物資源。不過，我從亞馬遜帶回來的野草，已經快變成心臟病的新藥囉。」捨松一手拎著裝有松樹的提袋，一手牽著我走向森林。

我由衷體認到：這個人真的是白痴。想不到這年頭還有男人自稱植物獵人（這種職業聽都沒聽過），一臉認真地大談什麼冒險啦、浪漫啦，超扯的！而最扯的就是我居然在這男人給我的結婚申請書上簽字，這種丟臉的事情打死我也不敢說出去。

不過算了，我牽著捨松的手咯咯笑著。和捨松在森林裡散步也不賴。或許有一天，捨松會在埋首尋求植物的過程中孤單墜崖而死，而我也可能明天被車子撞死；沒有人知道未來會發生什麼事情，因此在有生之年和捨松相偕走在沒有道路的森林，或許也不錯。

我們小心翼翼地走下黃昏的山坡。

「捨松，問你喔。」我突然想起一件事。「我們初次見面時，你說的那句『我想跟你去森林散步』是什麼意思呀？」

「喔，你說那個啊。」捨松撥開草叢，以一貫的慵懶語氣答道：「在亞馬遜的印第安部落中，那句話是指『我想跟你做愛』啦。畢竟他們住在沒有牆壁的超開闊場所嘛，只能躲在森林裡幽會囉。」

我真蠢，怎麼會期待捨松有什麼浪漫思想呢？不過，我想氣卻氣不成，反倒笑了出來。

「我看，明天我還是別去公所好了。」

「好啊。」

捨松回頭望著我，眼神非常溫柔。「我都無所謂。只要有你、有我、地球有植物，我就別無所求了。」

捨松這副笑容，我一定會永遠牢記在心。也許有一天，我倆的心會分隔兩地，但這張笑顏會永遠藏在我心底，在開花、結果、凋零的完美平衡中，為我的記憶增添光彩。

有個男人曾經約我去森林散步，我真的好幸福。

下山後，我們在電車中吃掉剩餘的香蕉，然後在繁星點點的天空下攜手返回公寓。

優雅的生活

雖然不知道要等上幾十年，

但我希望幹下人生最後一件蠢事時，

你能在我身邊笑著說：『你還真的做了！』

我真沒想到最近流行的「愛自己愛地球活動」，會滲透到這兒來。

紗依一打開會議室的門，倏地愣住好幾秒。三名女行政人員在這兒吃午餐便當，便當盒各為紅色、粉紅色、黃色，大小跟鉛筆盒差不多，裡頭裝著每個人親手做的少量飯菜，而且——

全是棕色，紗依心想。

米飯、切片烤魚、蘿蔔乾全是棕色，連酸梅也不例外，整個便當盒看起來活像蓋了一層沙。

「哎呀，紗依，真難得呀。」

行政人員中最年長的大貫笑咪咪地朝紗依招手。紗依從超商提袋中沙沙地取出「炸雞炒飯便當」，一邊坐在空鐵椅上。新來的行政人員小境機靈地在紗依的茶杯中注入茶壺裡的茶水。

「大家每天都在會議室吃午餐嗎？」

紗依一問，旁邊晚她兩年進公司的廣中便朗聲答道：「是啊。」

「來這兒吃飯，就不怕那些大叔打擾了。」

話是沒錯，但你們不覺得連午休也跟同事吃飯很痛苦嗎？紗依心想。三個行政人員再度開心暢談，有時也會將話鋒轉到紗依身上，但紗依只是不置可否地微微一笑，埋頭扒著炒飯便當。因為，無論是百分之百純棉的無漂白襯衫、有機蔬菜的訂購方式或精油按摩，她都一知半解。

紗依趁著話題之間的短暫空檔，一鼓作氣問道：

「你們的飯是棕色的呀？」

三人的視線同時集中在她身上，令她縮起身子。

「是糙米啦，學姊。」廣中說。「不過我也摻了白米。」

「我的是五穀摻白米。」小境說。「大貫姊的便當只有糙米。」

「想煮得好吃，可是需要一點訣竅喔。」

大貫說完，三人便開始討論「煮糙米的最佳水量」。紗依無話可說，只能連聲應道：「嗯、嗯。」煮白飯的水量是米量的一點五或一點三倍？她不懂如此微小的差異有何差別；至於糙米，她根本完全沒煮過，所以無從判斷。

「原來如此。」她暗忖。為什麼除了自己，這陣子所有女行政人員都在公司穿著扁扁的自製室內布拖鞋？為什麼大家都穿深藍色或白色純棉服飾？為什麼她們皮膚緊緻有彈性，頭髮柔亮光滑？為什麼大貫戒菸、廣中不再到處參加相親派對、小境和工人男友分手？照理說，只要小境的男友只吸大麻不沾毒品，她應該不至於跟他分手才對。

她得到答案了。就是這個！我必須好好學習她們三人的生活訣竅，才能使自己的生活煥然一新！

紗依吃著摻雜一大堆添加物的炒飯，暗自發誓改善自己的生活方式。

五點一到，紗依便下班前往自家附近的超市。平常的她，總是在下班後參加電影試映會或文化中心舉辦的日本刺繡講座，但這一天試映會的抽獎明信片全部落選，講座也暫停一回，因此她閒得很。

——連老天爺也祝福著我的將來！

紗依精神奕奕地站在超市的米架前。定睛一瞧，上頭琳瑯滿目地羅列著一包包糙米、五穀米，以前怎麼都沒有發現呢？她覺得從前那個只會亂買廉價白米的自己真的好蠢。

由於種類繁多，她實在不知該選哪種才好，因此買了最小包、最便宜的糙米和五穀米。怎麼又貪小便宜？紗依差點陷入自我嫌惡的漩渦，但萬事起頭難，垂頭喪氣也不是辦法！她打起精神，從站前的超市徒步返家，一路上哼歌哼了十三分鐘。

紗依打開住處大門，只有一扇小窗的廚房已變得一片漆黑。白天的時間變短了。她脫掉鞋子，在短小而冰冷的走廊地板邊走邊發抖，關不緊的三夾板拉門縫隙間射出一道光，落在走廊上。

「我回來了，阿俊。」

才拉開門，一團香菸煙霧便朝著走廊的紗依正面撲來。「欸，你抽太凶了吧！」

穿著成套運動服的俊明在鋪設木質地板的小房間用電腦，嘴上還叼著菸。紗依踏進房裡，打開裝設鐵格子的窗戶。

紗依本來想把這間設計拙劣的一坪半房間當成倉庫，但是無家可歸的俊明逐漸占據這裡，不知不覺成了他的工作室，一用就是兩年多。

租約到期時，紗依打算兩人分攤房租，一同搬進更大的大樓。當然，屆時非得叫俊明出錢更換被焦油染黃的壁紙不可，否則就虧大了。

「你回來啦。」

俊明終於開口了。窗戶灌進來的寒風似乎打斷了他對電腦螢幕的專注力，只見他停止敲打鍵盤，靠在辦公椅背上伸懶腰。

「今天回來得好早喔。」

「因為我想煮糙米。」

紗依高高舉起超市提袋。

「……為什麼要煮糙米？」

「因為對健康有益。」

「可是我已經照例用電鍋設定好七點半煮飯了。」

「咦？」

「咦什麼咦啊。」

俊明這才將視線從電腦螢幕移向紗依。他滿臉鬍鬚，一雙黑眼圈。阿俊今天又沒洗澡，紗依心想。記得今天是第三天，瞧他一頭亂髮，簡直活像一隻沒睡飽的尼古丁煙燻野狗。

「你不是一天到晚說什麼『反正你一整天都在家，好歹煮個飯吧』？」

「話是沒錯，可是今天起我們要改吃糙米呀。」

「我記得糙米要先泡水七小時耶。」

「是喔……」紗依垂下肩膀。「我還買了五穀米說。」

「我又不是鳥！」俊明大吼。「我趕稿趕得快滴血尿，你幹嘛沒事找事做？告訴我白米哪裡不好！」

此時，紗依終於解釋來龍去脈，敘述女行政同事們流行起吃糙米、穿棉衣跟扁扁的自製室內布拖鞋，而且變得健康美麗。

「放心吧。」俊明說道。「你已經很健康了，健康得快要出油了呢。」

「所以才要吃糙米呀。還有，我也要做瑜伽，身體快生鏽了。」

「我並不希望自己的女友練什麼軟骨功。想運動，等我熬過趕稿地獄再陪你好好運動吧。欸、嘿、嘿……」

紗依將一袋糙米與五穀米放在賊笑的俊明頭頂。

「阿俊，陪我一起吃糙米、做瑜伽吧。」

「最好是！」

俊明將米袋從頭上拿下來丟給紗依。「你這人真的一天到晚給我找麻煩耶！明明名字跟水針魚壽司[12]沒兩樣。」

「你管我叫什麼名字！是你自己賴在我家不走吧！」

俊明默默起身，關上窗戶。

「你坐下。」

12 女主角名字念法為Sayori，跟水針魚（Sayori）發音相同。

紗依乖乖坐在辦公椅上，俊明在窗邊轉身俯視她。「你聽好，我今晚必須寫好三篇稿子、完成兩篇演講逐字稿，明天一早去靜岡採訪。因此，我希望趕快解決糙米的問題。」

「好。」紗依點點頭。「開始討論之前，我能不能先把糙米泡在水裡？」

「請。」

紗依前往陰暗的廚房，跺跺腳驅逐寒氣，一邊閱讀糙米袋背面所寫的「炊煮方法」。她輕輕洗好糙米，放入碗中泡水。

回到狹窄的工作室一看，俊明仍然站在窗邊抽菸。紗依再度坐回辦公椅。

「我知道最近很流行吃糙米、做瑜伽。」俊明說。「我認為『愛自己、愛地球』是一種崇高的理念，這就是俗稱的『樂活』吧？不過我討厭這玩意。」

「為什麼！」

「你不覺得崇高得詭異嗎！推崇樂活的藝人幾乎都是在泡沫經濟期大撈一筆的人耶，而他們現在還靠著那種崇高的生活方式過活，銅臭味超重的！提昇生活品質等於提昇地球環境品質，這只是自以為是的不實妄想罷了。基督教說『人生來帶有原罪』，而『樂活』就是這種獨善其身的教義所衍生出來的玩意。我看只有樂活信仰的創始人、賺上好幾億的好萊塢明星才會有這種想法。既然這麼擔心地球的環境，乾脆切腹自殺算了，這樣才不會污染地球！」

「哎唷，你不要動不動就說這種極端的話嘛。」

紗依嘆了口氣。但是睡眠不足的俊明，卻如連珠砲般說個不停。

「想吃糙米的人就去吃啊，推崇樂活的人就去推崇啊，可是紗依，你別忘了！人不必特地買什麼高級水，只要燒自來水泡便宜茶就好。我們平常跟地球也活得很好，我不懂為什麼有人自以為了不起，跑去跟人家玩那種有心人策劃的經濟遊戲。」

「有心人策劃的經濟遊戲？」

「這股風潮，背地裡一定有人暗中策劃。那傢伙肯定每晚摟著美女吃好幾萬塊的有機蔬菜晚餐，而且還住在六本木！」

「你這是偏見吧！」

紗依懶得反駁，想著：今晚吃煎冷凍鮭魚切片跟煎蛋好了，不過這種菜色不是跟早餐沒兩樣嗎？

「總而言之，我沒興趣過什麼樂活生活，反正他們也不屑跟我為伍吧？咱們彼此井水不犯河水，這就是和平友好的象徵。」

「是嗎？」

「沒錯。因此，我不吃糙米，你七小時後再煮來吃個夠吧。」

話才剛說完，俊明便將紗依從椅子上趕走。紗依站在房門口，望著俊明的髮漩。

「為什麼這麼堅持吃白米？」

「因為我聽得見啊。」

俊明面向螢幕，低聲說道。「我聽得見戰爭犧牲者訴說著想吃白米飯的嘆息。」

「你不是戰後三十年才出生的嗎？」

「是啊。你要知道，人對於白米飯的渴望就是這麼淵遠流長。糙米、五穀、大麥？哈！這種東西啊，才不是拿來給人『輕鬆養生』用的，而是想吃白米卻吃不到的人配著眼淚的鹹味果腹用的！」

「好悲壯喔。」

「是啊。野坂昭如的《螢火蟲之墓》，有一幕很令我印象深刻。」俊明突然開始講古。「男主角很後悔自己在豐衣足食的時候，竟然把討厭的天婦羅給狗吃。讀完那本書，我決定：只要有得吃，我絕不挑食，有生之年都要好好吃飯。這世上有人因為吃不到白米而死，明明我們有得吃，幹嘛吃什麼糙米？我們應該感謝自己生在和平的時代，好好吃白米才對啊。」

俊明邊說邊用力敲打鍵盤。紗依窺向螢幕，上頭的文章標題是「通往天空的全新道路，就在你眼前！」這篇文章似乎是「Sky Road」這款新車的試乘感想。

如果不玩經濟遊戲，人根本無法賺錢餬口。紗依明白俊明只是因為被截稿逼急了才會高談闊論，於是無奈地搖搖頭，離開俊明的工作室。

她打開客廳暖氣，鋪好兩組墊被，在堆滿雜物的臥室換好衣服，然後到廚房煮晚餐。煎鮭魚香味四溢，俊明卻仍然關在工作室裡。

紗依將煮好的白飯裝在碗裡，獨自吃完晚餐。她把剩下的白飯分成好幾餐份，一一鋪上保鮮膜冰在冷凍庫，然後將泡水的糙米移進電鍋，設定早上六點自動煮飯，而水量是煮白米時的一點五倍。

客廳的電視播映著熱鬧的搞笑節目跟連續劇。紗依一手拿著晚報，一邊心不在焉地吃橘子、看電視，然後十點半一到便進入浴室。只要俊明沒泡澡，浴缸裡的水就不太會變髒，因此她重新把水加熱，悠閒地泡澡[13]。

俊明說明天要出外採訪，那麼今晚他一定會洗澡。紗依把洗澡水留著，離開浴室。不過，俊明他洗完澡後從不清洗浴室，只會嚷著「我累了」然後鑽進被窩，沒了。紗依越想越氣，在脫衣間用力擦拭身體。

到頭來，我下班後還得清洗浴室！我也很累啊，在公司每天跟同樣的人共事，雖說工作型態是朝八晚五，可是應付上司跟同事也很累人耶。俊明擅自住進我家，把我的倉庫當成工作室，說到家事也只會洗米跟按鈕煮飯，卻一副「我付了八成生活費，你該偷笑了」的態度。房租都是我一個人付耶！我自掏腰包買了糙米，他就不能廢話少說，乖乖吃下去嗎？

直到浴巾快被紗依擦得燒起來，她才停止擦拭身體。她穿上睡衣站在工作室門口，隔著房門道晚安。「嗯！」三秒後，另一側才傳出姍姍來遲的回應。

紗依懶得吹頭，心想「省電對環保有益」，便在枕頭上鋪條毛巾就躺下去。旁邊的墊被空蕩蕩的，她探出身子將臉埋在上頭，聞到俊明的味道。

她檢查枕邊的鬧鐘是否定時完畢，接著躺回自己的枕頭，閉上眼睛。

總覺得心裡有點空虛。

13 日本人習慣全家人共用一缸洗澡水，而且兩三天才換一次水。日本的浴缸有加熱功能，可以把冷掉的水重新加熱，洗完後會在浴缸蓋上保溫蓋，以便讓下一人使用。

隔天早上，紗依不太想提到糙米。

徹夜未眠的俊明洗了澡也刮了鬍子，乾乾淨淨地出現在餐桌旁。儘管如此，他卻掩蓋不了黑眼圈，看起來活像正努力壓抑嗜血衝動的殺人魔。他似乎懶得抗議紗依盛在碗裡的糙米飯，默默送進口中。

紗依也對糙米有點失望。她覺得坐立難安，因為這實在稱不上好吃。是煮法有問題呢？還是本來就不好吃？看來在習慣糙米之前，還是應該先摻些白米才對。糙米可能會阻礙人體吸收礦物質，所以配菜應以蔬菜為主，如果持之以恆地吃糙米，應該就能改善體質。紗依如此說服自己，將糙米飯和著味噌湯一併吞下肚。

她問一言不發的俊明有什麼感想，只見他一邊咀嚼，一邊將空碗放進水槽。

「我想想喔，吃這個必須一直嚼個不停，還滿醒腦的。」

他完全沒提到味道。紗依和準備出門採訪的俊明一同走到車站，搭著擁擠的電車抵達新宿。

「就算想追求生活品質……」

在車內將身子傾向另一側的俊明才說到一半，就被紗依瞪得不敢再說下去。她在月台向前往東京站的俊明揮揮手，透過車窗瞧見他亂糟糟的頭髮。紗依轉乘山手線，照例在同一時間進入位於澀谷的公司。

她在午休時說自己煮了糙米，大貫她們聽了無不面露喜色。紗依帶來的也是糙米便當，於是四人便圍桌吃著棕色午餐。

「平姊，你跟男友住在一起對吧？」小境可愛地歪起脖子。「突然換成糙米，他不會抗議嗎？」

「就是說啊。」大貫也唉聲嘆氣。「我家老公也抱怨連連，所以我也煮了白米飯。男人幹嘛非得堅持吃白米不可？」

「天知道。」

紗依露出不置可否的微笑，她常在公司使出這一招。「抱怨了一大堆，到頭來還不是吃得一乾二淨，說什麼『可以幫助下顎運動』。」

「那不是很好嗎！」廣中興奮大嚷。「很多人可是因為同居人反對，只好放棄糙米呢。」

你連能反對吃糙米的同居人都沒有呢——紗依暗自嘲諷，旋即又打消這個念頭。我到底怎麼了？吃下難吃的東西，連心靈都變醜惡了嗎？我才吃兩次呢！紗依探究自己的內心，驚覺糙米並非心靈扭曲的原因，而是心中早已種下負面因子。

大貫她們教了許多逐步適應糙米的方法。將白米和糙米以四比一的比例炊煮，然後做成咖哩飯，這樣既有嚼勁又好吃。咖哩粉買市售品牌即可，但只能加菜，不能加肉；蔬菜先用麵味露[14]稍微燙過入味，接著加入咖哩粉，就能不加一滴油完成咖哩飯。只要加點太白粉勾

14 用高湯、醬油、日本酒和砂糖所製成的日式調味料，可以直接拿來沾麵，也可以用來滷食物。

茨，就能搖身一變成為蕎麥麵店的咖哩風健康食品。如果有時間，最好連麵味露都自己做，高湯可以先做好放進冷凍庫，方便日後拿來做任何日式料理。

紗依認真做筆記抄下，回去後趕緊試做。這道健康咖哩飯，連俊明都讚不絕口。

紗依開心多了。她將公司的室內鞋換成平底布拖鞋，也買了瑜伽墊。她把教學書放在旁邊，在家一面看電視一面做瑜伽。她構思對健康有益的菜單，關節也變得越來越柔軟，成就感十足。

健康的生活持續將近一個月，十二月約莫只剩下一半。

此時，俊明不再抱怨糙米比例過高，紗依也不再便祕，肌膚好像也恢復光澤，雙腳筋骨也變柔軟了。儘管如此，她心頭的空虛仍揮之不去。紗依納悶，為什麼我會感到空虛呢？

某一夜，俊明難得在午夜十二點前走出工作室。紗依聽著俊明洗澡的嘩啦聲，偷偷期待著：「難不成……？」如她所料，俊明一回臥室便略過自己的墊被，鑽進紗依被窩。

接下來發生的事情自是不在話下，到了最重要那一刻，紗依突然拍拍俊明汗涔涔的肩膀，說道：

「來，給你。」

紗依事先在鬧鐘後面藏了保險套，以備不時之需。俊明抬起頭來。

「咦，今天是危險期嗎？」

「應該不是，但以防萬一嘛。」

俊明聞言，隨即抓著紗依的腳配合自己的腰部微微挪動，一臉認真地端詳她。

「紗依，這是橡膠製品耶，用這個不會違反樂活理念嗎？」

此言一出，紗依倏地狠踹俊明的腹部一腳，抬起上半身。

「這關樂活理念什麼事啊！」

紗依的尖叫聲似乎嚇了俊明一跳，只見他仰躺在墊被上，說道：

「我知道了。剛才是跟你開玩笑，我會戴的。」

「你根本不懂！」

紗依抱著枕頭，一拳一拳用力毆打。「阿俊，你根本一點也不懂！危險期或安全期這種玩意是說不準的，萬一我有了，你認為現在的我們有能力養小孩嗎？看看你自己，連一個人租房子的能力都沒有呢！說到底，我才不要做愛時提心吊膽，擔心自己會不會懷孕！戴上保險套，我才能放鬆心情享受性愛呀！阿俊，你根本不懂我的精神狀態跟做愛之間的關聯！」

「對不起……」

俊明也抬起上半身垂下頭。他的下面跟心情，都變得越來越沮喪。

「明明兩個人住在一起，家事卻全是我一個人做，而你則一邊抱怨一邊吃糙米，輕鬆得到健康！」

「呃，其實我現在還是比較希望吃白米啊。」

「那你不會偶爾煮煮飯嗎！」

紗依泫然欲泣。她明明不想哭，淚水卻奪眶而出。

「阿俊，你知道為什麼我開始吃糙米、做瑜伽嗎？因為這些事情，可以跟常在家的你共享呀。」

一說出口，紗依才驚覺這就是答案。學習樂活是為了兩人的未來著想，而實行樂活總伴隨著空虛，是因為俊明始終對此愛理不理。

「可是阿俊，你卻一點也不體諒我的心情。」

「話不能這樣說，你不說我怎麼會知道……」

俊明悄聲反駁，但紗依逕自往下說。

「給你糙米你會吃，但菸你也一樣抽超凶。我覺得很空虛耶！自己好像笨蛋一樣！跟你同居後，我終於知道世界上的男女為什麼要結婚生子買房子，因為這樣才不會被空虛感搞到崩潰！假如男女雙方不能共享生活點滴，關係根本無法持續下去呀！」

「等一下。」俊明伸手制止紗依。「紗依，你想跟我結婚嗎？」

「才不想咧。」

「為什麼啊。」

「我們兩人的收入加起來才好不容易租得起大樓，結婚不是更慘嗎？之後還得買房子生小孩耶。」

「話不能說得這麼滿吧。」

「每個人起初都是這麼說的。可是，想想你那些已經結婚的朋友吧。每個人不是買房子就是生小孩，或是又買房子又生小孩，不然就是為了買房生子而拼命賺錢。如果不這麼做，兩個人根本很難一起生活下去啊。」

「你這人真是沒有一點夢想跟希望耶。」

「所以我——」紗依開始哽咽。「儘管結婚、買房子、生小孩都不在我的計畫之內，可是我還是想跟你一起共享生活點滴，一起努力邁向健康生活呀！」

「我懂了。」俊明說。「雖然我覺得話好像都是你在講，但是我了解你的心情了。既然你是認真的，我也要讓你看看貨真價實的樂活！」

「什麼貨真價實的樂活呀。」

「首先就是不使用橡膠製品。」

俊明握著胯下的小老弟，朝紗依壓上去。紗依死命揮動雙手。

「怎麼會變這樣啊！」

「這陣子超忙，已經快一個月沒做了吧？抱歉，我忍不住了。萬一你有了，我會抱著滴血尿外加血便的決心拼命工作的，所以你就放鬆心情享受吧。」

「豬頭！」

紗依發出當晚第二次尖叫，但俊明仍一步步攻城掠地。紗依，你的腳抬得起來了耶。這就是做瑜伽的好處嗎？好，你維持這姿勢再扭一下——俊明似乎非常開心。

起初紗依很生氣，但俊明誠懇的話語、強勢卻溫柔的技巧終究令她轉怒為喜，縱情享受。

隔天早上，紗依想開暖氣，於是窩在被窩裡摸索空調遙控器。她找不到遙控器，卻一直聽到咻咻的摩擦聲。

她躺著往上一看，只見俊明穿著一條四角褲，拿著毛巾摩擦身體。

「早啊，紗依。」俊明說道，口中吐出白霧。

「你該不會想開暖氣吧？來，快起床。」

「不要，好冷……」

「今天我會去買火爐跟木炭，忍耐一下吧。還有，早上沖澡很浪費水，不准洗。」

「什麼！昨晚我沒洗澡就睡了耶。」

「我煮了一鍋水，你用那個擦身體就好啦。喏。」

俊明將用過的毛巾放在紗依手中。

「然後呢？」

大貫忍俊不住，暫時停止吃便當。

「沒有然後啊，慘斃了。」

紗依俯視俊明親手做的便當，哀嘆一聲。冰箱裡的動物性蛋白質全不見了，沒有魚、沒有肉，連雞蛋、牛奶跟起司也難逃一劫。這天的便當是糙米飯跟涼拌菠菜、滷牛蒡蒟蒻，以及用有機大豆沙拉油炸出的油豆腐汆燙後沾上醬油跟柴魚片的東西。

好想吃色彩豐富一點的菜色喔，紗依心想。俊明卯足全力做菜，這陣子每天的晚餐都是炸豆腐排或豆漿火鍋。

連俊明的母親也寄了親手做的無添加物味噌過來。這種味噌會在鍋底殘留麥麴，既香濃又好喝，但紗依總覺得最近大豆吃太多了。

「我連醬油都想自己做呢。」俊明說。早上跟紗依一同離開大樓後，他似乎都在離家三十分鐘路程的農民無人販賣所[15]買菜。

「因為是有機栽培，所以形狀不好看、也有點貴，不過很好吃吧？」俊明好像很滿意。這個活動是紗依所發起的，她實在不好意思說：「你不必做到這種地步啦。」

除此之外，俊明也在客廳陪紗依做瑜伽，一邊看著可疑的性生活指南彎曲身體。

「哪裡可疑？這是印度欲經耶，我會努力把裡面的姿勢都學起來的。」

圖中的姿勢簡直是測試雙方的柔軟度跟腹肌、背肌的極限，實在不像努力就能達成的目標。

「那該不會是你男朋友在整你，或是反抗、反擊你吧？」

廣中咯咯笑道。紗依覺得她臉上似乎寫著「活該」，不知道是不是自己想太多。

「我擔心的是，事情好像沒有這麼單純耶。」紗依笑得從容，其實內心又補了一句：「與其說擔心，倒不如說我怕死了。」

是的，俊明已經連續兩星期早睡早起，並勤做家事。肉類一律不吃，只堅持食用無添加物的有機食品；洗碗不用洗碗精，而是改用肥皂，再重複利用剩餘的洗澡水。浴室的沐浴乳、洗髮精跟護髮乳也不見了，改成牛奶肥皂。紗依認為那種東西怎麼想都會傷髮質，而俊

15　一種無人看守貨物的販售方式，消費者自行投錢找零，拿走貨物，通常是蔬菜攤。

明當然早有準備，用蜂蜜為她護髮。

他似乎也戒菸了。或許他會趁紗依上班時抽菸，但工作室的菸味確實越來越淡。客廳又靜又冷，因為他不開電視，暖氣用品也只有圓形炭爐。

俊明本來想買火爐，但二手商店的火爐都很貴，所以他才改去大賣場買了便宜的圓形小炭爐跟豆炭[16]，他們倆只能用這東西烘手。我可不想在高度密閉的大樓裡一氧化碳中毒！紗依出聲抗議，但俊明只是細心地到寒風刺骨的陽台點燃豆炭，然後勤於讓空氣流通。這會兒，連紗依都茫然地望著圓圓的豆炭燒紅、發熱。

客廳寒氣逼人，兩人只能專心致志做瑜伽；經過適度運動暖身後，又得趁著身體發熱時趕緊回臥室。與其說這是健康生活，倒不如說是儉約生活。紗依好說歹說，才說服俊明戴保險套，而這也是他唯一的讓步。

「這樣就不叫樂活啦。」

說歸說，俊明還是答應紗依的要求。果真如紗依所料，「愛自己、愛地球」活動一口氣拉近了兩人之間的距離。

俊明的行為，到底有幾分認真、幾分玩笑？起先紗依也認為俊明只是為了整她才參與樂活，因此打定主意絕不喊一聲苦。然而，這兩星期以來，俊明卻樂在其中地享受生活不便的日子。假如不是真心參與，絕不可能持續至今，想到這兒，紗依不禁頭皮發麻。

16 日本一種煙味淡、形狀呈圓方形的固體燃料。

因為紗依鬧脾氣、責怪俊明不了解自己，他才藉此回報紗依的心意。一想起他如此珍惜自己，紗依便又喜又懼，不知該何時開口說出：「停止樂活吧。」

「你男友好好喔，我真羨慕你。」小境天真無邪地說道。

這天是今年的最後交易日，因此紗依她們的午休只到四十五分，接著全力回到崗位。在住商綜合大樓的斗室中，分店長忙著蓋印章、公司唯二的業務員四處奔波、女行政人員們也忙著處理接踵而來的文件跟來電。

紗依仔細地將今年非核准不可的文件一一輸入電腦。公司的業務範圍包含工業用藥，只要今天接下訂單，明天就能送到全國各工廠。有些工廠年末年初也照常上工，所以需要大量工業用鹽酸跟甲醇。

這項繁重的工作需要高度集中力及反應能力，才能避免誤植數字、正確排列處理順位。加班一小時後，她終於下班了。紗依在澀谷車站和同事互相道別，接著雀躍地搭上電車。

街上洋溢著新年的氣息，到處都是紅白色調的年節裝飾。只剩一天！明天早上去公司大掃除，然後就放年假了。

「過年回來一趟。」

老家的父母特意打電話到紗依的手機，因為打去租屋處有可能遇上俊明。他們不想面對他，只當他是一個無所事事、游手好閒的男子，完全不知道俊明其實工作得要死要活。

回老家也無妨，但返鄉車潮想必非常驚人。紗依的哥哥嫂嫂會帶小孩回老家，所以少了她一個人，父母應該也不至於寂寞。紗依很討厭應付年幼的姪子跟姪女，也不想聽父母跟哥哥叨念：「你還不結婚啊？」這幾年來，她越來越不懂自己究竟想不想結婚了。

或許這工作沒什麼了不起，但她也藉此餬口度日，努力和同事維持良好的人際關係，一路奮鬥至今。雖然隱約覺得俊明是個不錯的結婚對象，但也沒必要馬上改變現有的關係；既然同住一個屋簷下、彼此了解個性，乾脆走一步算一步吧。

啊，對了——紗依恍然大悟。俊明曾說：「我們平常跟地球也活得很好。」他說的一點也沒錯。什麼愛自己愛地球，不必想那麼複雜，我已經活得夠開心了。無論是俊明、公司的同事或這輛電車的乘客，只要活著就好，即使生活陷入和舒適相去甚遠的困境，也無須恐懼、逃避，因為再怎麼害怕也避不開，再怎麼逃也逃不了一世。妄想無憂無慮舒適愜意，根本就是傲慢。

傲慢的我，或許只是急著想利用「舒適」二字束縛俊明一輩子罷了。紗依如此思量，輕嘆一聲。飛馳的電車車窗蒙上一層白霧，遮住窗外一閃而逝的街燈。

沒有人能成功逃避生活。

紗依忿忿地用抹布擦拭廚房地板、牆壁和天花板，因為她一回家就看到打算用橄欖油製作肥皂的俊明把氫氧化鈉噴得到處都是，而且還因吸入過量搞得喉嚨不舒服，癱軟在地。

「你在幹嘛呀，真是的。沒事吧？」

紗依攙扶起俊明，半晌後他才恢復精神。

「哇塞，嚇死我了。我一把氫氧化鈉倒下去，液體的溫度就突然變得好高喔。」

俊明戴著橡膠手套，將失敗的肥皂溶液處理掉。「我只是想做做看不使用石油的肥皂，結果還滿難的耶。」

俊明這次小心保持空氣暢通，坐在客廳的圓形炭爐旁。他舒服地抬起下巴，享受微微的熱氣；紗依也拿著橘子，坐在俊明身邊。

兩人默默剝皮吃橘子。客廳靜悄悄的，紗依和俊明自然而然依偎在一起，只聽得見外頭的車聲。

「過年你要幹嘛。」

「還沒決定。你呢？」

「我會留在這裡。有篇雜誌報導介紹了黑豆的煮法，我想試試看。」

俊明挪動屁股拿起桌上的雜誌，又挪著屁股回到原位。「喏，看起來很好吃吧。它可以保存一段時間，你回老家時我會幫你留著的。」

紗依注視雜誌上的照片。飽滿亮澤的黑豆，看起來固然好吃，但她心頭忽地一陣煩躁。她想像俊明過年時獨自在廚房挑豆子，然後加上米糠跟鐵釘放在鍋裡煮，心頭頓時一緊，好想抱著他力勸：「黑豆這種東西，買市面上的就好了！」不過，這只是她自以為是的想法，而且提議過健康生活的人明明就是她。明知如此，她還是覺得好難受。

「我會留在這裡過年。」紗依說。「初二我再回老家住一晚就好。」

「是喔？」俊明說。紗依有股不祥的預感，抬頭卻看到俊明的笑容。他啪地闔上黑豆食譜雜誌。

「那元旦跟我去一個地方吧。」

「……去哪裡？」

「去富士山看神聖的日出！我是很想這麼說啦，但外行人在寒冬中爬富士山簡直找死。去比較好走的高尾山吧。」

「才不要呢！」

「為什麼？」

「我不懂為什麼大過年的要去山上看什麼日出。要去你自己去，我要在家看電視。」

「看什麼電視，你還割捨不掉這種有電磁波的東西喔！」俊明說。「你不想看看日出，淨化自己的心靈嗎！」

「不太想耶。」

紗依不知道俊明話中有幾分認真，遂丟下他逕自就寢，隔天去公司大掃除。全體員工一同小酌，互道：「新年快樂！」接著各自下班。

家中的俊明早已著手煮年菜。他食譜不離手，一邊做出滷菜、栗子沙，並切魚板為年菜增色，連黑豆也有。紗依正想打開黑豆的鍋蓋，卻被俊明叱喝道：「別開，豆殼會皺掉的！」

他似乎忘記看日出這件事了。

紗依鬆了口氣，於是轉身去煮年糕湯、擦玻璃窗，並將買來的迷你門松擺在玄關。

兩人在除夕一同看ＤＶＤ。紗依本以為俊明又會嚷著電磁波如何如何，但這部片是《天國與地獄》[17]，因此他目不轉睛地盯著螢幕。這算是俊明最喜歡的電影。

「這傢伙好討厭喔。」俊明對主角權藤金吾咕噥一聲。「他幹嘛把鞋子扯壞，力氣那麼大要死啊。」

紗依覺得俊明看這部片的觀點有點奇怪，但她也覺得這部片不錯。除夕夜的鐘聲從遠方傳來，伴隨紗依入眠。

然而除夕還沒有結束，元旦也尚未來臨。

俊明搖醒紗依，她睜眼一瞧，窗外仍一片漆黑。

「幹嘛？」

她睡眼惺忪地看看枕邊的鬧鐘，才凌晨三點。但是，俊明卻早已換上衣服與厚外套，背著背包。

「走，我們去看日出吧。」俊明笑道。

不會吧……紗依暗忖。

抵抗宣告無效，紗依坐上寶藍色的本田雅哥，一路朝高尾山駛去。

「這輛車是哪來的？」

「跟朋友借的。他說過年時不會用，所以我就借來了。考慮到汽車廢氣，其實搭電車

17 一九六三年的日本電影，導演是黑澤明，是他的人道主義電影代表作之一，探討貧富階級之間的衝突與對立。

比較好，但背行李跟換車都很麻煩，而且人擠人也不好。你不想爬山前就累得半死吧，紗依。」

我也不想半夜被你挖起來爬山啊——紗依暗自抱怨，但沒有說出口，因為俊明正開開心心地開車。

「天氣好像很好耶，不錯不錯。」

開車將近兩小時後，俊明將車開進高尾山口的停車場。令人驚訝的是，停車場已幾乎被大型遊覽車占滿。

「這麼多人想來看日出呀……」

紗依心頭一沉，俊明卻拿起背包催促道：「來，走吧。」

「日出的時間大概是六點四十分，不快點就來不及了。」

設想周到的他，居然帶了兩支手電筒，並把其中一支遞給紗依。幹嘛帶手電筒……紗依正感到納悶時，答案揭曉了。

俊明選了寫著「稻荷山步道」立牌的登山口。山路比紗依想像中還暗，簡直伸手不見五指。即使眼睛逐漸習慣黑暗，也只隱約看得見自己吐出的白色氣息，連前方的俊明也看不清楚，只能依靠搖搖晃晃的手電筒燈光。

路很難走。雖然有些斜坡設有橫木充當階梯，但木頭濕滑，紗依只能照亮腳邊拼命往上爬。遇到大岩石跟坍倒樹木擋路時，俊明會轉身牽著紗依，但她仍然只敢盯著地面，無暇他顧。

她爬得上氣不接下氣，體溫也上升了。

「休息一下吧。」

前陣子仍菸不離手的俊明也爬得很痛苦。就算做起瑜伽、專心邁向健康生活，大半夜爬山實在太心急了。即使高尾山是小學生的遠足勝地，對運動不足的人而言依然是一大挑戰。

紗依跟俊明來到略微開闊的地帶，躲到路邊休息。

「紗依，你看。」

紗依聞言抬頭，只見手電筒的燈光在群木間若隱若現。光點從山頂一路延伸到山腳下。

「晚安。」好幾個來看日出的登山客向兩人打招呼、擦肩而過，有些人半開玩笑地提醒他們：「不快點去就來不及囉。」而兩人也一一回禮。

紗依覺得很不可思議。黑暗中看不清楚登山客的臉，他們彷彿在向死者打招呼。兩人似乎也是死者行列的一分子，正朝著某個地方邁進。

俊明帶來的水壺裝著微甜的紅茶，兩人略飲幾口，再度上路。這次他們沒有停下腳步，一逕趕路，用手電筒照向手錶一看，時間是六點二十分。黑暗中傳來山頂的喧囂。

山路平坦了些。紗依很心急，擔心大老遠跑來卻看不到日出，俊明卻一派輕鬆。他以空著的那隻手牽著紗依，緩緩穿越山頂廣場的人潮。

「這邊不知道看不看得到。」

紗依和俊明在人群間找到空位，並肩而立。天空驟然發出金黃色的光輝，浮現黑色的地平線。

那就是天空跟地面的分界線呀——紗依向前眺望，這次橘色光芒沿著地平線橫越而過，然後逐漸擴大，最後現出太陽的圓形輪廓。

登山客高聲歡呼，相機快門聲如雨點般此起彼落。紗依握著俊明的手，默默佇立。

太陽轉眼間現出全貌，然後躊躇般地稍微減速。登山客們望著在空中大放光芒的元旦日出，發出滿足又如釋重負的嘆息。

「這才是我心中真正的樂活。」俊明說。「臨死前登上富士山頂，然後伴隨著日出切腹。」

「為、為什麼？」

「沒有為什麼啊。切腹後我要掏出自己的內臟，禱告著：『讓我的內臟成為有機栽培的養分吧……』然後嚥下最後一口氣。至於屍體，當然就用來當肥料囉。」

「你對樂活的解讀簡直錯得離譜嘛！」

「管它是對是錯，反正這就是我對樂活的觀點。我可是很樂活的。」俊明轉向紗依。「我希望你跟我一起登上富士山頂。雖然不知道要等上幾十年，但我希望幹下人生最後一件蠢事時，你能在我身邊笑著說：『你還真的做了！』」

拜託饒了我吧——儘管心中暗自抱怨，但紗依也有點開心。

「你在求婚嗎？」

「呃，沒有啦。我只是想表明，今後也想照常跟你一起生活下去。」

太陽正要鑽入上空的灰色雲層裡。人們離開視野開闊的場所，有的到小店買甜酒，有的從藥王院的方向下山。

「好吧。」紗依說。「我也這麼想。我真的這麼想。不過，我受夠健康生活了，咱們就照常自然過日子吧。」

「那就好。」俊明露出如釋重負的笑容。「無添加物無農藥無肉無菸的生活真的好痛苦喔，我頂多只能撐兩星期，你怎麼不早點說出剛才那句話嘛。」

果然是裝出來的！紗依有點失望，但想想這又何妨？看在俊明拼命維持兩人關係的分上，就不跟他計較了。

「說到底，你說的『樂活』根本不可能嘛。一腳踏進棺材的老人哪爬得上富士山，看看我們兩個，才爬個高尾山就唉唉叫了。」

「也對喔。不然這樣好了，我們就住在富士山頂等死吧。」

兩人就這樣說蠢話、拌嘴，邁向未來的死期。

坐纜車下山回家吧，紗依心想。回去後吃吃年糕，過年睡他個痛快。

她滿心歡喜，彷彿方才立下了一個非常重要的約定。

春太的每一天

即使我走了，你也絕對不是孤單一人。

就算我死了，也希望你能永遠記住，

我曾經如此重視你。

「我看你乾脆結紮好了。」麻子說。

「不要。」我答。

我和麻子在客廳無所事事，度過悠閒的春日午後。

「因為，你前陣子又在公園跟正妹搭訕呀。」

唔，被你逮到啦？可是麻子，你誤會了，不是我搭訕別人，而是別人搭訕我啊。

我的女人緣非常好。不，坦白說，其實不分男女老幼膚色種族，大家都愛我，這點你也心知肚明吧？

所以，我希望你不要因為我跟別的女孩要好，就打翻醋罈子。桃花旺盛又不是我的錯，誰教我英俊帥氣高大威猛心地善良人見人愛，這是天意啊。

要恨，就恨把我造成萬人迷的上帝吧。對了，要紮就紮上帝，別紮我啊。好嘛，麻子，就這麼做吧！請你行行好，別再拿結紮這種恐怖的話來嚇我了。

說到底，你根本一點也不需要吃醋嘛。我的身心都是你一個人的，枉費我每天費盡唇舌向你表明心意，為什麼你就是不肯相信我呢？不過，我也喜歡你這種多疑的個性。

我將上述想法全凝聚在眼裡，含情脈脈地注視麻子。

「你幹嘛一臉蠢樣？」她輕拍我的頭。

害什麼羞嘛，麻子，你真可愛啊。我席地而坐，悄悄將下巴靠在坐在沙發看電視的麻子膝上。

窗外的櫻花花瓣隨風輕舞，溫濕的土壤味、嫩芽逐漸滋長的聲響，似乎也飄進了房裡。

「春天啊——」我喃喃道。麻子置若罔聞，埋頭看著八卦節目。

「春太你看，有很多藝人都結紮啦。」

這話題還沒結束啊？

某知名古裝劇演員花心成性，他老婆對此頭痛不已，於是建議他去結紮。麻子就是看了這次特輯，才會突然將歪腦筋動到我身上。

稍瞥一下螢幕，只見熟悉的綜藝節目主持人手持「結紮藝人一覽」圖卡，一邊向觀眾解說。

「我又不是藝人，沒差啦。」

我也知道這答案沒什麼說服力，但還是撂下此話，從麻子身旁起身。說起來，麻子不也很花心嗎？我走過電視前，站在窗邊，頓時悲從中來。

沒錯，花心的人是麻子才對。我只是對向我搭話的女孩報之以禮，她就大發雷霆，結果自己卻光明正大帶別的男人回家。這也是我的家耶。

希望她能稍微想想我所受到的打擊。麻子首次帶男人回家的那一晚，我可是傷心得食不下嚥呢。（不過隔天早上肚子太餓，所以又正常進食了。）

不僅如此，麻子還在驚訝得說不出話的我面前和那個男人卿卿我我。那個男人……叫什麼名字去了？對了，他叫米倉健吾。可惡，光想到他就一肚子火。瞧他一臉痴呆，那種男人到底哪裡好？我跑得比較快、比較健壯，毛髮也比他茂密！米倉那傢伙啊，以後是禿定了。他現在故意用劉海蓋住額頭，但其實髮線肯定一天比一天高。不知道麻子會不會察覺這點？

總而言之，米倉那傢伙應該學一下什麼叫「自知之明」。明知麻子有我這個男人，卻還動不動跑來我們家。算了，誰教麻子這麼正，同樣身為男人，我知道不可能抗拒得了她的誘惑。但你臉皮真的超級厚耶，米倉！

你們倆同床共枕，也不想想我在客廳多少次淚濕毛毯，求求你們，別再考驗我的心了！我究竟吶喊了多少次？我那顆纖細的心，早已遍體鱗傷。

可是，現在我已經決定盡量睜一隻眼，閉一隻眼。

因為，我知道麻子最愛的是我。給我等著瞧，米倉！遲鈍的你一定不會發現，其實麻子只是跟你玩玩罷了。

令人生氣的是，那天早上米倉離去時，麻子的皮膚竟然變得紅潤光滑。

「你別這麼生氣嘛，春太。」麻子說著，悄悄抱住睡在客廳以示抗議的我。「春太在我心目中，可是任何人都比不上呢。」

「真的嗎？任何人都比不上嗎？」

「我最愛你了，春太。」

啊，麻子！我也是，我也最愛麻子！

既然麻子的摯愛是我，那就沒什麼好氣了。我相信麻子的話，就算麻子偶爾偷吃髮色奇怪的男人，我也要展現寬闊的胸襟。有什麼辦法，誰教我愛她呢？愛，會讓自己原諒對方的一切。我真是堅強啊。

啊，花瓣又隨風揚起，院子裡的櫻花已然盛開。

「春天啊——」

我的鬱悶一掃而空。今天米倉那個礙眼的傢伙沒來，因為麻子沒打掃家裡時，那傢伙是不會來的。難得能跟麻子朝夕相處，我決定不胡思亂想了。

「一年當中，我最喜歡春天。畢竟春天也是我跟麻子相識的季節。」

語畢我回頭一望，麻子也來到窗邊。她站在我身旁默默眺望庭院。我知道麻子想起了和我相遇的情景，偶爾，我倆的心靈會異常相通。

每當這種時候，我總覺得很幸福。

三年前的春天，麻子主動對癱坐在路邊的我搭話。那天的陽光就像今天一樣溫暖，繁櫻盛開。

「你在這裡幹嘛？」

麻子在路邊不假思索蹲下，端詳我的臉。「肚子餓了嗎？」

連走好幾天路，沒飯吃、沒地方睡覺的我，連回答的力氣也沒有。但是，麻子的眼神實在過於溫柔，我不忍心無視她，便勉強擠出一個字：「嗯。」

「這樣啊，那你要不要來我家？」

我聽錯了嗎？喂喂，你能不能稍微有點戒心？雖然我現在又餓又累、連站都站不穩，但好歹也是個男生耶。

現在想想，麻子輕易帶男人進家門，大概是她的天性吧？她人那麼好，肯定無法對人見死不救；我看那個米倉，八成也是倒在路邊被她撿回來的。

撿我就算了，撿米倉那種傢伙幹嘛咧？不能當濫好人啊。不過這也是麻子的優點就是了。

「來吧。」麻子對陌生的我伸出手。怎麼辦，要去嗎？正當我猶豫不決時——

「你無家可歸吧？」

麻子微微一笑，率先起身往前走。待走了數步，她又回頭對我招手道：「過來。」風迎面吹來，麻子的香味弄得我鼻子癢癢的。這味道彷彿陽光下的蒲公英般乾燥香甜，聞起來既可靠又溫暖。

於是，我決定跟著麻子回家。

麻子獨自住在一棟小小的樓房裡。

「我父母都死了，所以這裡只有我一個人。你想待多久都沒關係。」麻子說。

麻子的父母微笑著變成一張快照，躺在客廳的五斗櫃裡。偶爾麻子在五斗櫃找東西時，會順便把那張照片拿出來緬懷。

但是很快地，照片又會物歸原處。

除此之外，整個家沒有半點麻子父母的痕跡，連生前用過的餐具、衣物、氣息都沒有留下。

麻子真的變成一個人住了。

這兒有個小院子，麻子也會做好吃的飯給我吃，有時還會跟我一起洗澡，因此我非常喜歡這個家。經過一個月，我對麻子的喜歡已經遠超過這個家及所有事物，於是決定哪兒也不去了。

所以，當麻子若無其事地問我：「想不想永遠待在這兒？」我真的很開心。

「這個嘛，也沒什麼不好啦。」

「那你就需要一個名字囉。」

「你喜歡怎麼叫，就怎麼叫吧。」

「嗯——」

麻子思索半晌。「春太。你覺得春太怎麼樣？」她說。

「不賴。」我答。

其實我很喜歡那個名字，但竟然說什麼「不賴」，當年的我真是青澀啊。嗯嗯。

從此之後，麻子跟我便開開心心住在一起。

「好漂亮喔。」麻子望著院子說道。

「好漂亮喔。」我望著麻子的側臉說道。你真是迷死人了，麻子。經過三年，你的臉不僅百看不厭，而且我覺得你越來越漂亮了。

麻子，你想怎樣就怎樣吧。啊，不過千萬別叫我結紮喔，除此之外，你想幹嘛都可以。我不在意你叫別的男人來家裡，也不在意你吃別的女人的飛醋，一切全由你作主。

來，儘管背叛我吧。

無論你如何對待我，我對你的心意永遠不會改變。

麻子在家裡做設計工作。她工作時，我會盡量不去吵她。

我不清楚她設計的詳細內容，因為──

「誰教春太每次一看到，就興奮得不得了。」

她不好意思把作品拿給我看。什麼嘛，麻子好小氣喔。看了漂亮的東西，不興奮才奇怪呢。

根據迄今見過的幾件作品跟狀況推斷，麻子主要應該是設計書本吧。

麻子的工作室在二樓，那兒羅列著好多資料書籍跟雜誌。我很喜歡蒙上灰塵的紙味，聞起來令人心情平靜。

麻子埋首於那些東西之中，幾乎每天都坐在電腦前。有時她會親手剪貼、畫畫，有時也會帶著相機出門拍照。

麻子很喜歡創作。

「麻子，該開飯了吧？」我從門口探向房內。

「哎呀，春太，你餓了嗎？」

如果她願意回頭看著我，那表示工作進行得很順利。可是，假如我上樓後正猶豫著該不該走到門口，她就莫名其妙凶我：「春太吵死了，很煩耶！」此時最好「三十六計、走為上策」。剛起床的麻子與趕稿中的麻子是這世上最危險的猛獸，正所謂「君子不立危牆之下」啊。

不過，無論多麼忙碌，麻子一定會在黃昏暫時停工，然後跟我到鎮上悠閒散步，接著回家吃飯。

「你可以不必管我啊。」我說。

「不好意思，抽不出太多時間，但是至少一起吃頓飯吧。」她笑道。

哎唷真是的，這女孩多麼善解人意我真是上輩子燒好香啊！我的感動與心動衝到最高點，搞得自己好像為孫子感到欣慰的老爺爺一樣。

昨天，麻子一整天都關在房裡化為猛獸，不料晚上突然慌張地跑來客廳。

「怎麼辦！春太，今天是星期幾？」

「咦？」我正想上床睡覺，所以腦袋不大清楚。「大概是星期五吧。」

「啊～星期五！那明天就是星期六，我完蛋了！」

麻子開始火速打掃客廳。她把我趕到一邊，夜深了卻仍開啟吸塵器。

我討厭吸塵器的聲音，因為很像雷聲，令我聽了忍不住發抖。

當時的我也很想鑽進毛毯，但我實在不想在麻子面前出糗，只好強裝鎮定。

我心裡祈禱著「拜託快點關掉吧」，一邊勸她：「喂，會吵到鄰居啦。」

但是麻子完全不聽勸，只是面色鐵青、活像念經地咕噥著：「來不及了、來不及了。」

這種情況的麻子萬萬惹不得。算了，反正最近夜晚越來越暖和，我先去玄關避難吧。怎料我才移到玄關，麻子又隨後追來，開始用力擦起玄關了。這下子，我知道是怎麼回事了。

是米倉，米倉那傢伙要來了。

受不了。那種傢伙啊，光是給他進門他就該感謝得痛哭流涕、五體投地了，何必特地為他打掃迎門？

我悶不吭聲地看著麻子的一舉一動。她將玄關打掃得乾乾淨淨，接著又去掃廁所，完全沒察覺到我在生悶氣。

「春太，跟你說，明天傍晚米倉要來喔。」

「是喔，嗯哼。」

「因為我不小心說了：『我會做晚餐，過來一起吃吧！』」

「你幹嘛說那種話啊！麻子，你該不會有什麼把柄在他手上吧？」

即使如此，你也不必擔心，麻子！米倉那種貨色，只要我有心，馬上叫他去見閻王。

「怎麼辦，我還沒出門買菜呢。」

「給他吃泡麵就好啦。」

「只能趁明天超市開門時衝去買了……可是，這樣又會延誤工作進度。」

麻子唸唸有詞，一手拿著馬桶刷猛然轉身。

「春太！」

「幹嘛啦。」

「明天米倉會來，你稍微陪他一下吧。」

「幹嘛叫我陪他？才不要咧。」

「我會趁那段時間趕快結束工作，然後開始做晚餐。」

「欸，麻子！」

「拜託你囉！」

麻子完全把我的話當耳邊風。放眼所及之處皆打掃完畢後，她匆匆步上二樓。

你也未免太殘酷了吧。雖然不拘小節是麻子的眾多優點之一，但哪有人這麼粗枝大葉？我光是和米倉呼吸一樣的空氣，就會覺得肚子不舒服耶。

折騰一晚後天亮了，但今早麻子卻多了黑眼圈。她一定是熬夜工作。既然工作這麼忙，何不乾脆叫米倉晚點來？想歸想，不過經驗告訴我：千萬別對化為猛獸的麻子說些有的沒的。

明明叫米倉傍晚來，他卻四點就來了。

「歡迎你來，米倉。」

麻子笑盈盈地說道。洗澡化妝後，她的黑眼圈沒那麼明顯了。

「會不會來得太早？」米倉說。

「早得要死！你幹嘛來？」我說。

「不，哪兒的話。不過抱歉，請你稍等一下，我有個工作得先告一段落，馬上就好。」

「如果你很忙，我就不打擾了……」

米倉擔憂地看著麻子。

「好，說得好！給我滾。」

「你從剛才就很吵耶，春太。」

麻子生氣地拍打我的背。幹嘛啦，麻子，我可是為了你才提醒這個白目耶。

「上來吧，你可以邊喝茶邊看電視。」

「啊，不必麻煩啦。」

你真的不必麻煩了，麻子。可是，麻子卻禮數周到地端出茶跟餅乾，然後愧疚地跟他道歉，走上二樓——不過她臨走前在廚房給了我獨有的餅乾。哼哼，米倉，麻子一定沒給過你這種特別的餅乾吧？這很好吃喔。

如此這般，我現在跟米倉待在客廳。其實我不想跟他共處一室，可是既然麻子給我餅乾又懇求我，我只好兩肋插刀啦。

米倉端坐在沙發上，我則背對著他躺在地上，假裝在看電視。煩耶煩耶，氣氛好尷尬喔！麻子，拜託你快點下來吧。

米倉窸窸窣窣摸索半天，然後小心翼翼地呼喚我。

「春太。」

「就憑你也敢直呼我名諱？」

「我帶了伴手禮喔。」

什麼，伴手禮？

「難得你挺機靈的嘛。什麼東西？」

我抬頭看著米倉。他所帶來的是——喔，這不是零食嗎！還有這股香味，這是我喜歡的牌子。

可是，嚼了不是很沒面子嗎？於是我又躺回去了。米倉躊躇半晌，接著從沙發起身悄悄走過來，跪在地上把零食遞到我面前。

「來。」

喔，要給我是吧？不收白不收。

我接過零食，心想：「這若是米倉的骨頭就好了，我一定要大口咬下去！」一邊啃得咔咔作響。好吃！零食就是要吃這款才對味啊。想不到你挺懂事的嘛，米倉。

米倉徑直坐在我身旁。

「幹嘛啦，看什麼看。」

「你好帥喔。」米倉斯文地說道。「看起來高大威猛，金色毛髮柔順有光澤，下盤也很穩健，腹部緊實。難怪麻子這麼寶貝你。」

「還好啦。我跟一臉窮酸樣的你不同，麻子可是每天都幫我梳理哩！超舒服的，你一定沒享受過這種待遇吧？」

「而且你也對她忠心耿耿，總是陪在她身邊，努力保護她。」

「那還用說？我可是麻子的摯愛呢。」

此言一出，米倉嘆了口氣。

嗯？樂天可說是這個不起眼的男人屈指可數的優點之一，但今天的米倉好像怪怪的。

我停止啃零食，站起身來。

「我看你好像無精打采的，你終於明白自己比不上我的超凡魅力了嗎？」

「麻子平常怎麼說我？」

「她說只是跟你玩玩啦。」

不過麻子人很好，所以不可能說得這麼直接啦。

「最近我在想，麻子真的好能幹。她工作能力強，又獨自把一個家操持得這麼好，而且還有你這個伴。」米倉又嘆了口氣。「我能成為麻子的支柱嗎？像今天，我也給她添了一堆麻煩。」

「我說啊。」

我挺直腰桿坐好，視線幾乎和垂頭喪氣、縮著身子坐在地上的米倉同高。「老實說，你根本什麼屁忙都幫不上，可是麻子還是邀你來家裡，這樣就好啦，該偷笑了吧。」

米倉抬起頭。

「你在安慰我？」

「你怎麼又突然變得超級無敵樂觀啊。」我尷尬地別開視線。「我的意思是，反正她只是偶爾對你略施小惠，不用想太多啦。」

米倉悄悄將手伸向我的背。

「我可以摸你嗎？」

「你不是正在摸嗎？」

「平常的麻子是什麼模樣？」

「我才不告訴你咧。」

我沒好氣地說道。米倉不置可否，陶醉地對著遠方發呆。

「麻子堅強又開朗，而且又愛乾淨、又善良！你真幸福啊。」

給我等一下，米倉，你美化得太過頭囉。

我跟麻子在一起的確很幸福，可是啊，她這人冒失得要命，而且發飆時那副瘋狗樣連我也招架不住，還會動不動失魂落魄地咕噥：「工作不順利……」說得更白一點，她這女人連「整潔」兩個字怎麼寫都不知道。

可是，這是祕密，是我跟麻子之間的祕密。

當晚，麻子煮了清蒸茄子、涼拌冬粉、蛋花湯跟煎餃，聞起來好香喔。可是麻子，你怎麼可以做煎餃呢？

我是無所謂啦，我不在意你有大蒜味。可是一般女生親手做料理給男人吃時，應該不會選什麼煎餃吧？不過咧，這就表示米倉「不是什麼重要的傢伙」。

你要有自知之明啊，米倉。麻子的意思是「你這種貨色配大蒜正好」，快醒醒吧。

然而，米倉卻喜孜孜地在客廳桌上埋頭包餃子。他用看起來活像滿月的餃皮包住摻了一堆大蒜的餡料，這是在廚房準備蒸籠的麻子拜託他做的。

「我說你啊，麻子是在拐彎抹角告訴你『我根本沒把你放在眼裡』耶。」

我窺探米倉的手說道。忽然被甩一定會帶給他很大的打擊，這算是我小小的貼心。

「啊，不行啦春太，那還是生的呢。」

但是，米倉卻講些牛頭不對馬嘴的話，用手臂把我推開，其間還不忘用手指沾沾碗裡的水，捏緊餃皮。

「麻子居然記得我說自己喜歡煎餃……」

這傢伙沒救了，滿腦子都在開小花。反正他不久就會察覺真相，隨他去吧。

麻子、我和米倉在客廳看著院子的櫻花用餐。

麻子為我準備了特殊餐點──「牛肉塊罐頭」。麻子不常讓我吃這個，我最喜歡這東西了。

米倉啊，你就吃你的蒜頭吧，我可是吃牛肉呢，這就是有愛沒愛的差別啦。

「這個週末，櫻花季就結束了。」

米倉回去後，麻子坐在沙發上呢喃道。

「明年還會開花啦。」

我一如既往地將下巴靠在麻子的大腿，閉上眼睛。麻子緩緩撫摸我的頭，將我引誘至夢鄉。

我的興趣是散步。

當然是跟麻子一起散步。每天早晚，我們都會邊聊邊在街上漫步。

天氣晴朗、麻子又有空時，我們甚至會去鄰近的大公園。那兒有廣場，每個人都能自由自在地奔跑、翻滾、玩耍；麻子不大擅長跑步，所以總是在一旁笑著看我玩。

能自由活動筋骨固然好，但是來公園社交可真不輕鬆。

面對向我示好的女性，我必須委婉並堅定地拒絕道：

「我已經找到真命天女了，抱歉啊。」

畢竟醋罈子麻子可是正盯著我呢。哎呀，其實你不必監視我啊，我一定會拒絕的。正所謂好男不事二女嘛。

不只女人，不知怎的，連小鬼跟老人家都會圍著我打轉。這些傢伙有可能被我突如其來的動作嚇得跌倒，所以我一刻都不能鬆懈。

當他們讚美我：「好可愛喔～」、「好帥喔～」時，我也只能一動也不動地敷衍道：「還好啦。」、「畢竟身體不是白練的。」

當個萬人迷也是很辛苦的耶。

我也有知性的一面，所以散步時也不忘收集各種資訊。我會日日留意鎮上的味道是否有異、檢查地上的失物，以及麻子周遭是否有危險發生。

下到傍晚的雨，現在停了。我大口吸入潮濕的夜晚柏油味。

嗯，今天鎮上依然平安無事。

我尤其喜歡晚上散步。路上人車稀少，世界上彷彿只有我跟麻子，感覺好舒服。好快樂喔——只要和麻子散步，即使是早已熟悉的道路，我也總是雀躍不已。

然而，今晚的麻子卻有點悶悶不樂。

「麻子，你看，吐出來的氣是白色的耶。」

她對我的話置若罔聞，只是垂著眼一逕走著。

「……怎麼了？」

很難得地，麻子今天出門了。我開心地送麻子出門，獨自看家。麻子很依賴我，我知道正是因為我在，麻子才能安心出門。

麻子傍晚回來時，身上沾著米倉的氣息。雖然我不喜歡她去見他，不過偶爾給他點甜頭和麻子約約會也未嘗不可啦，畢竟米倉前陣子給了我零食嘛。

我可是一天跟麻子約會兩次呢，這點小事我不會放在心上的。

令我掛心的是，麻子回來後有點無精打采。儘管她一如往常地跟我說：「春太，我們去散步吧。」但不知怎的，看起來就是不對勁。

「有什麼心事嗎？」

我回頭望向慢慢跟在後頭的麻子。「夜路沒什麼好怕的啦，我會把壞人嚇跑的。」

麻子悶不吭聲。這下子，我真的不知該怎麼辦才好了；麻子有煩惱，但是我卻猜不透她的心事。

我們進入散步路線中段的小小兒童公園。路燈照耀著鐵格子與溜滑梯，夜晚的公園，連遊樂設施看起來也有些冷清。

櫻花全謝了。

麻子坐在長椅上，我則站在麻子面前，等待她向我吐露心事。

「氣溫又變冷了呢。春天的天氣真是不穩定呀。」

「嗯，不過也快結束了，我感覺到綠葉發芽的氣息。」

我皺皺鼻子。麻子望著我，忽然滾落豆大的淚珠。

「怎怎怎、怎麼了，麻子！」

我大吃一驚。麻子以前從來沒哭過。

「是不是哪裡痛？還是米倉那傢伙說了什麼？」

儘管我拼命安慰她，她仍然不住低頭顫抖。我雙手搭著麻子的膝頭，探出身子悄悄舔舐她的淚水，嘗起來鹹鹹的，裡頭凝聚著麻子不知所措的心。

「怎麼辦，我該怎麼回答才好？」麻子低語道。

「別哭嘛，麻子，你不是有我嗎？對吧？」

麻子雙手緊緊抱住我的背，我在她懷裡磨蹭她的頸項。

喏，麻子，像這樣抱在一起，就會變得很溫暖囉。你根本不需要哭，因為有我在啊。我永遠只關心你、為你著想，所以你笑一笑嘛。

麻子的心跳比我慢得多，那是因為我倆生命的速度不同。我覺得好難過、好哀傷；明明感受得到麻子的悲傷，卻沒能為她做些什麼。

死米倉！我不知道你到底問了麻子什麼，下次你來我們家，我絕對要把你揍得連你媽都認不出來！

那一天，我一早就不舒服。

我覺得有點想吐，肚子好痛。是感冒嗎？大概睡一覺就好了吧？

在兒童公園靜靜哭泣的麻子，隔天早上已經恢復正常。她精神奕奕地工作，一個人時而歡笑、時而發怒，一刻也靜不下來；可是，她也頻頻將父母的照片從五斗櫃取出來緬懷，偶爾作勢要打電話，卻又嘆口氣作罷，這一切我都看在眼裡。

嗯——現在果然不是睡覺的時候。我必須發揮自己的魅力，讓麻子稍微舒緩心情才行。

想歸想，但我的身體卻不聽控制。痛死了啦——肚子裡簡直像在刮暴風雨。

下到一樓準備吃飯的麻子，一見到癱在客廳的我，倏地大叫：

「春太，你怎麼了！」

我不能讓麻子為我擔心。

「沒什麼啦。」

我作勢起身，腳卻搖搖晃晃站不穩。麻子衝過來，四處檢查我的身體。

「不舒服嗎？哪裡痛？怎麼個痛法？」

「肚子有一點……」

「我帶你去看獸醫！」

麻子用毯子將我裹住，打算抱我起來。

「不行，麻子。住手啊。」

由於麻子整天坐著工作，所以腰部不好。她經常躺在客廳地板呻吟：「啊！腰好痛～」

我一踩上去幫她踏踏，她就會開心地說：「好舒服喔。」

不是我自誇，身材高大威猛的我非常重，如果麻子抱我起來，肯定又會腰痛。

再說，抱著我要怎麼去找獸醫？麻子沒有車啊。我身體強健，因此只有打針才需要去醫院，可是那段路卻得走二十分鐘以上。那段路好遠，好討厭喔，可是討價還價又會惹麻子生氣，我只好乖乖聽話。我每次都覺得好鬱悶，為什麼非得特地去醫院活受罪，挨那支又痛又可怕的針？

不對，現在不是在談打針。總而言之，假如讓腰部不好的麻子抱我走那條討厭的路，男子漢的面子往哪擺？

「我沒事啦，你別逞強。」

我扭動身子，硬是不讓她抱；儘管如此，麻子還是拼命想把我抱起來。我舔舔她的手。

「我只要躺著就沒事了。」

「春太、春太，振作點！」

麻子泫然欲泣地摩挲我的身體。麻子好愛我喔，我真佩服自己。啊，我好幸福。

「牡丹花下死，做鬼也風流……」

我努力撐開一邊沉重的眼皮，對麻子說道。哼，帥啊！

麻子依偎著我，「我不要你死啊，春太～」最後，她終於哭出來了。

糟糕糟糕，我怎麼能惹心愛的麻子哭呢？可是，我的肚子真的痛得好誇張。

我會不會就這樣真的死掉？可惡，麻子正在為某事煩惱，我哪能丟下她悠哉地去死啊。

門鈴響了。客廳迴盪著長長的尾音，麻子起初置若罔聞，但它不死心地連響好多次，她只好對我說：「等我一下，我馬上回來，千萬不可以動喔！」接著衝向玄關。

「來了，哪位！」

麻子的聲音聽來殺氣騰騰。這種態度不好喔，麻子，搞不好對方是隔壁拿傳閱板[18]過來的澤木先生啊。對待鄰居要和和氣氣……

「米倉！」麻子說。

什麼？米倉？哼，你竟然還有臉來啊！我卯足力氣起身，非把他轟出去不可。

麻子似乎已打開門，我聽見米倉的聲音。

「抱歉，突然來打擾。呃，我覺得自己前陣子可能太急了……」

「現在沒空說這個！」麻子打斷米倉。「春太、春太……」

「春太怎麼了？」

麻子跟米倉的腳步聲由遠而近。你完蛋了，麻子，客廳超級髒亂耶，你敢讓米倉看到這種景象嗎？不好吧，麻子。

我本來想在客廳門口全力阻擋米倉入侵，但是腳不僅不聽控制，甚至連站也站不穩，虛弱地倒在地上。麻子正巧目睹這一幕，驚呼一聲衝到我身邊。

「春太！」

「載去醫院吧。我是跑業務時順道過來的，公司的車停在外面。」

米倉一改平時傻楞楞的德性，手腳俐落地用毯子重新包住我，雙手輕鬆抱起。

一世英名毀於一旦！我居然淪落到讓米倉這傢伙照顧我！

18 日本的社區聯絡板，社區的最新訊息都會寫在傳閱板上，由家家戶戶自行傳閱。

然而，我也無力抵抗。我被安置在後座，只能讓麻子撫摸我的背，任由米倉開車前往醫院。

呼！想不到一眨眼就好了。

醫生逼我把藥吞下去，解放完畢後，肚子頓時變得輕鬆無負擔。

「誰教你亂撿東西吃！」麻子板起臉說道。「丟臉丟到家了！春太真是個貪吃鬼！」真沒面子。

「算了，沒事就好嘛。」

不要講得一副自己很懂的樣子！米倉，你該不會只是稍微賣我人情，就跩起來了吧？

米倉將麻子和我送到家後，一溜煙返回公司，可是晚上又來了，說是要看看狀況。你幹嘛來啊？

「來，春太。別害羞，向米倉好好道謝。」

麻子步履輕盈地消失在廚房另一頭。她一定是想為還沒吃飯的米倉煮點什麼。要來不會先吃飽再來啊？這傢伙真的很厚臉皮耶。

米倉將散落一地的雜誌跟換洗衣物客氣地推到一邊，騰出自己的座位。

「幸好你平安無事。」

他輕輕將手搭在躺著的我背上。

嗯，該怎麼說呢，我的確欠這傢伙人情。我抬眼望向米倉。

「謝啦。」

「萬一你有個三長兩短，麻子一定會很難過。下次別再亂撿東西吃囉。」

哪壺不開提哪壺，受不了。我不爽地別過頭去。

「跟你說喔，春太。」米倉語氣真摯地呼喚我。「我想結婚。」

「要結就結啊。」

「我跟麻子求婚了。」

「什麼！」

我驚訝地站起身。米倉嚇了一跳，趕緊縮回搭在我背上的手。

「你怎麼啦？」

「我才想問你怎麼了咧！什麼跟麻子結婚，真搞不懂你是哪條筋接錯線，才會這樣痴心妄想。」

原來那一夜麻子在公園哭泣，不是因為米倉問了她什麼難題，而是煩惱該如何回覆他的求婚。真是大意不得！我知道這個二愣子不知天高地厚，但想不到他竟敢如此膽大妄為。早知道就該看緊他！

我在米倉面前來回踱步，對他曉以大義。

「你聽好，我才是麻子心中的第一位；當然，她在我心中也是無可取代的。我倆是兩情相悅，從你這隻蒼蠅出現前就深愛彼此，現在也是，以後也不會變，因此完全沒有你介入的餘地！懂了嗎？」

「我懂了！你想上廁所吧？春太。肚子還痛嗎？我去叫麻子來吧。」

「不對啦！」

真是個無藥可救的大白痴。我威嚴十足地席地而坐，正視米倉。

「沒事了嗎？」

「不，事情可大了。到底發生了什麼事，你給我從頭到尾說清楚。」我厲聲說道。

米倉嘆了口氣，調整姿勢重新跪坐。

「……老實說，麻子還沒告訴我答案。我突然向她求婚，似乎令她感到很煩惱。」

「麻子只是在想該如何好好拒絕你罷了，醒醒吧。」

「我打算永遠等下去。」

「別鬧了。」

「除了麻子，我不打算跟別人結婚。今天看了麻子為你心力交瘁的模樣，更加深我的決心。」

「有些東西你最好也仔細看一看喔。」

我用下巴指向亂七八糟的客廳。可是，米倉似乎不在意骯髒的環境。

「麻子常說不需要你以外的家人。我想，大概是父母早逝的關係吧。」

我覺得是因為她對我用情至深耶。

不過，原來……麻子是這麼想的啊。麻子，你真傻，怎麼能為了害怕失去，索性什麼都不要呢？你有時就像個膽小的孩子，但這也是你的可愛之處喔。

「可是我想跟麻子永遠在一起。」

米倉兀自下定決心。「我想跟她攜手偕老，頂著白髮互相扶持、處理對方的大小便，臨終前留下一句：『這一生過得好幸福。』」

「你又在做夢了。」

我無奈地搖搖頭。麻子可是每天都幫我處理大小便呢。

「我簡直聽不下去，你居然想讓喜歡的對象幫自己處理大小便。」

「我是認真的，春太，所以才希望事先知會你一聲。你願意答應我跟麻子結婚吧？」

你還沒睡醒啊！鬼才要答應你咧，混帳！我朝米倉飛撲過去。

「哇，怎麼了？春太。」

我跨坐在米倉腹部，他整個人仰躺在地。麻子從廚房端著熱騰騰的食物過來。

「喂，春太！」她說。「真是的，一下子就跟人家這麼要好。」

不～是～啦～

我壓力大得快胃痛了。不過呢，既然麻子看起來很開心，今晚就姑且如此吧。

之後，麻子跟米倉怎麼了？那還用說嗎，當然是什麼也沒有啊。

米倉照樣來我們家，而麻子則打掃家裡迎接他。頻率似乎比以前高了些，不過既然他不忘帶牛皮骨這種伴手禮孝敬我，我就睜一隻眼閉一隻眼吧。

米倉跟麻子在一起好像很快樂。麻子連一個字都沒回答你，你在高興什麼啊？算啦，隨便你吧，米倉。

經過肚子痛那件事後，我也稍微想了一下。

無論如何，我都會比麻子先死。說來難過，但這是不爭的事實。

但是，我並不會因此不敢去愛麻子。只要還有一口氣，我就要陪在麻子身邊，讓她過得幸福。這點我有信心。

因為，我可是麻子第一個、也是最後一個深愛的對象呢。

可是我死後，麻子該怎麼辦呢？

麻子說我無可取代，總是把我放在心中的第一位；假如我走了，她一定會悲痛欲絕吧。

不行不行，即使生死天註定，我也不能讓麻子為我的死而難過！我那比山還高、比海還深的愛，不允許這種事情發生。

左思右想，我想到一個好點子。米倉！不如稍微給那傢伙一點機會吧。

米倉看起來是個不會感冒的笨蛋，而且應該也比我長壽。再說，他說自己最喜歡麻子，這點似乎不假。

麻子跟我情比金堅，米倉的感情終究只是單相思；不過咧，沒魚蝦也好，假若真有個萬一，有他陪在麻子身邊，至少能稍微撫慰一下她的心。

如此這般，我這陣子願意大發慈悲接納米倉了。簡單說來，米倉算是防止麻子落單的最後防線。我可不是為了牛皮骨才這麼做喔，這是深思熟慮之後的結論。

今天我跟麻子一起洗澡。她為我沖水、仔細地用洗毛精為我搓洗，然後用吹風機吹乾。

洗完後的毛髮真是柔柔亮亮、閃閃動人，連我都差點愛上自己了呢。

「怎麼樣，麻子，重新愛上我了吧？」

「對對對。春太，坐好。」

我坐在麻子膝上，她摟著我為我梳毛，令我飄飄欲仙。

啊，好想永遠持續下去啊。

我想跟麻子永遠快樂在一起。

可是啊，麻子。你千萬別忘記除了我之外，還有人深愛著你喔。即使我走了，你也絕對不是孤單一人。

還有，接下來的話你一定要銘記在心，那就是：我最喜歡、最深愛、最希望能獲得幸福的對象，就是你喔，麻子。就算我死了，也希望你能永遠記住，我曾經如此重視你。

不過，這是很久之後的事啦。不管怎麼說，我現在都是個年輕有魅力的萬人迷嘛。

我將上述想法全凝聚在眼裡，仰頭注視麻子。她停止梳毛，微微一笑。

「春天快結束了呢。」麻子說。

客廳的光線照亮櫻花樹，枝椏的翠綠嫩芽朝著夜空蓬勃生長。

「下個春天馬上就來啦。」我說。

是的，永遠。只要麻子活得幸福，你的暖春永遠會再度來臨。

冬季一等星

那一刻我倆心有靈犀，
彷彿滿天星斗盡納掌心；
只要這種感覺還在，
我永遠相信此事可以言傳，亦能意會。

偶爾，我會睡在車子的後座。

夏天開著車窗會被蚊子叮，冬天即使裹著毛毯也會手腳冰冷得睡不著，但即便如此，我依然喜歡在車上過夜。

蜷縮身子躺在無法翻身的狹窄座位上，常常令淺眠的我做夢。平時我幾乎不會做夢；或許做過夢，但我總是記不得。與其被睡眠隔絕在漆黑的世界中，我寧願做夢，就算是惡夢也無所謂。

前陣子，國王的小丑死了。

草原上的短暫激鬥結束後，一回到翠綠山丘上的帳篷，國王便嚷著：「朕的小丑不見了，朕的小丑哪裡去了？」無論推出烤綠雉大餐或演奏他喜歡的進行曲，國王都無法滿意。廚師跟樂隊都一頭霧水。

朝廷上下都討厭小丑。

他連嘲笑國王時都掩不住卑賤的氣息，四處竊聽八卦、散布謠言，是個深諳保身之道的醜陋小丑。他一定是趁著國王專注於戰場時逃走了。接下來還得下山去草原上尋找小丑，真麻煩。

大夥兒似乎心照不宣，動也不動。草原上屍橫遍野，小丑的身高又只到一般人的腰部，想必很難找吧。最重要的是，大家都想早點回家吃飯、沖澡、睡覺。

我正祈禱國王能恢復心情，兩三名士兵已將小丑帶回山丘了。正確說來，是抱著疑似小丑的物體。

我明白那是小丑，是因為他的身高宛如與戰場格格不入的孩童，身著紅金相間的衣裳。小丑的右半邊頭顱似乎被馬踩爛，右下臂也被扯斷；至於沒穿鞋的左腳已變為暗紅色肉塊，連有沒有腳趾都看不出來。

渾身污泥的小丑屍體被放置在草地上。他的眼睛睜得老大，污濁得有如腐敗的蛋白，很快就引來蒼蠅。方才吵著要見小丑的國王，一見到面目全非的小丑便默默搖頭，逕自走進帳篷深處。

而我，反倒無法將目光從小丑的屍體移開，因為我看見斷臂的內部塞滿了黃色顆粒，好像柳橙。我突然覺得喉嚨好渴，遂趁著旁人不注意時悄悄拿走小丑的手臂。小丑的皮膚既冷且硬，我大口狂咬，傷口確實有柳橙的味道及香氣。

我埋頭啜飲這不知是果汁或是體液的東西，抬頭一看，小丑正直直望著我。

待我清醒，車外已是清晨時分，通勤族快步走向車站。我趕緊起身下車，衝回大樓租屋處梳洗打扮，準備上班。一個滿頭亂髮、脂粉未施的女人在停車場狂奔，想必嚇到路人了吧。

車內充滿著柳橙香。加油站的站員幫我清理車內時，似乎將贈品芳香劑放進菸灰缸了。文藏拒絕了芳香劑。那雙緊盯著我的小丑之眼，跟文藏有幾分相似。

我喜歡在車裡睡覺。

因為在車內容易做夢，也會喚醒令人懷念的回憶。

當我在公司受氣，或是想起以往的失言而想用力搔頭時，夜晚，我會前往離租屋處徒步三分鐘路程的出租停車場。

八歲那年冬天，我被綁架了。

其實文藏一點都不想綁架我，我也始終不認為那是綁架；然而綜觀來龍去脈，怎麼看都是一場「綁架」。

睡在後座的我被細微的震動晃醒，起身一看，車子竟然在路上飛馳。我看到開車的是一名陌生男子，倏地嚇得發不出聲，而文藏也跟我同樣吃驚。

「呃！」文藏說。「為什麼我車上有小鬼？你一直在那裡嗎？」

「對。」我點點頭。車子駛入高速公路時，文藏透過車內後照鏡看著我。

「你乖乖坐好。」

文藏對收費站的中年男子道聲「你好」，接過票券。高速公路車輛稀少，文藏彎入內車道，接下來幾乎不轉動方向盤，穩穩地開。

「傷腦筋吶，我完全沒發現耶。怎麼會這樣呢？」

文藏的語氣聽來一點都不傷腦筋。車子似乎正駛向西邊。

「要不要來前面坐？」

他一問，我又點頭了。說不怕是騙人的，但我也不能跳車或求救，既然如此，不如安靜乖巧地跟他就近聊聊，或許能對這個來路不明的男人動之以情。我是這麼打算的。

「你可別突然咬我喔，不然我們兩個就死定啦。」文藏笑道。我將蓋在身上的毯子留在後座，跨過排檔坐到副駕駛座。我邊繫安全帶邊偷瞄文藏，他看起來約莫二十多歲。

他問我叫什麼名字，我答：「映子。」

「我叫文藏，文章的文，寶藏的藏。」他說。

「你要去哪裡？」

「大阪。我有急事，可是不方便搭火車或搭飛機。如果我早一點注意到你，就能隨便找地方放你下車了。」

「你現在也可以放我下車呀。」

我忿忿地望著休息站的標誌從窗外流逝。

「不行——」文藏說。「你一定會打電話回家吧？」

「不會，人家又沒有錢。」

其實我的小側背包裡頭的錢包有三百圓，可是我不想在爸爸晚上回家前打電話，因為媽媽不知道我在車上。我可不想自討苦吃，打電話給媽媽討罵。

「為什麼你一個人待在車上？」

文藏的問題，令我無言以對。

「因為我以為媽媽馬上就會回來。」

「我懂，畢竟車門沒鎖，鑰匙也沒拔下來。」文藏偏偏頭。「可是，就算你們民風純樸，停車地點又是鄰近的超市，哪有人小孩坐在車上，卻還這麼粗心？」

文藏見我不回話，便賊笑起來。

「小朋友，你是不是趁媽媽不注意，偷偷溜進後座？」

「你怎麼知道？」

「因為我小時候也常幹這種事。」

文藏的左手從駕駛席跟副駕駛席中間的盒子掏出口香糖，放進嘴裡咀嚼。「你也吃吧。」明明是我家的車跟我家的零食，他卻反客為主。這種醒腦口香糖十分嗆涼，我嗆得吐出舌頭呼氣，文藏笑得合不攏嘴。

「不過這種行為很危險，你下次要學乖喔。」

「哪種行為？」

「就是在後座躲貓貓啦。每年夏天，可是有好幾個被留在車內的小孩死掉呢。」

「現在是冬天呀。」

「冬天也很危險。你媽媽又很天。」

「天？」

「就是天兵啦。你下次試試看在車庫裡面開引擎，搞不好會死於一氧化碳中毒。」

「也有可能被叔叔這種人『連人帶車』綁架呀。」

「你說我？」

「嗯。」

「我不是叔叔，是文藏。」文藏說。

我倆沉默半晌。遠方城鎮的點點燈火，在高速公路隔音牆的縫隙間一閃而過。

「這不是綁架啦。我一定會放你回家的。」文藏沉靜地說。「相信嗎？」

「嗯。」

「那就休息一下吧。」

山上的小型休息站停著數台引人注目的大卡車，這兒人煙稀少，夜幕籠罩，什麼景色都看不見。

我只穿著毛衣跟裙子，沒穿外套。文藏見我下車後猛發抖，遂脫掉身上的夾克遞給我。我正猶豫不決時，文藏已徑直走向公廁，於是我只好穿上。

文藏的穿著我記得一清二楚，是牛仔褲跟黑色毛衣。我大多看著他的側臉，所以只認得服裝；若是被丟在這種人生地不熟的地方，那可就慘了。

我曾想過去女廁求救，也想過去商店打電話，然而文藏似乎很信任我。他放任我在休息站自由行動，也不曾監視我。

當我看到文藏在公廁前抽菸等著我，我決定跟著文藏走下去，直到他願意放我走。因為我不想回家。

第一次正視文藏，我發現他有一雙烏溜溜的眼睛。其他部分我記不清楚，只記得他眼神柔和，眼眸黑白分明。

我一走近，文藏便旋即熄菸。

「沒時間了，吃麵包好嗎？」

「嗯。」

「抱歉，裝成你的父親。」

「嗯。」

文藏當我的爸爸似乎有點太年輕，但我依然乖乖牽他的手。文藏的手很冷。我們在商店買了幾種麵包。

上路前，我們繞去休息站附設的加油站。「普通汽油加滿。」文藏說。

「要不要順便把這個清乾淨？」

取得我的同意後，文藏將我爸的菸灰缸拔下來，遞給窗外的站員清理菸蒂。文藏拒絕了芳香劑，令我有點失望。那些散發人工香味的橘色顆粒煞是可愛，我好喜歡。

我委婉提出控訴。文藏將洗好的菸灰缸物歸原位，一邊皺眉說道：「啥？那很臭耶。」

車子再度上路，我們吃下買來的麵包，啜飲茶水。

「你去大阪幹嘛？」

「工作啦。」

「什麼工作？」

「你這丫頭怪怪的耶。」文藏略顯不耐地說。「一般小孩應該是哭著大喊想回家，或是從剛才那座休息站逃走吧？」

「怪怪的」這三個字帶給我很大的打擊，令我幾乎濕了眼眶。

「我媽也常這麼說。」

「怎麼說？」

「說我怪怪的。」

升上小學那一年，妹妹出生了。爸爸那時忙於工作，媽媽則被育兒弄得身心俱疲、耐心耗盡，於是時常罵我。她不了解為什麼老師會在聯絡簿說我「常常在上課中發呆」，我也不懂她為什麼突然吼我、打我。妹妹兩歲後，一週內會有幾天寄住在附近的奶奶家，我在超市停車場被文藏連人帶車綁架，就是在這段時期。

「我就知道。連你媽都說你怪，那你真的夠怪的。」

被文藏一笑，我變得更想哭了。文藏見我低頭咬著下唇，似乎吃了一驚。

「你哭什麼？」

我支支吾吾說不出來，於是文藏將口香糖擱在我膝上，問道：「要不要再吃一個麵包？」我仍然不開口，這回他客氣地伸出手，輕輕撫摸我的頭。他摸得很溫柔，所以我不禁眼眶一熱，滴下淚珠。

「你媽說你哪裡怪？」

「說我在上課中發呆很奇怪。」

「那有什麼好大驚小怪？我上課也都在發呆，不然就是打瞌睡啊。」

文藏將手抽回，握住方向盤。我用身上的夾克袖口拭去淚水。「別沾到鼻水喔。」文藏說。

「還有，我很喜歡搭車。」

「我也很喜歡開車喔。」

「我不會開車，所以喜歡坐在後座，思考自己要去什麼地方。」

「你想去哪裡？」

「電視上看到的地方。比如南極啦，金字塔之類的。可是媽媽叫我不准發白日夢。」

「畢竟開車到不了南極跟埃及嘛。」

「到了南極，就會變成雪橇犬唷。」

「雪橇犬？車會變成雪橇犬？」

「對。」

「嗯——」

文藏沉吟一聲，又開始憋笑。即使他笑我，我也不再難過，因為我知道他聽進了我的話。

「之後，媽媽連聽到我聊夢境也覺得煩。」

「你是說晚上做的夢？」

「嗯。」

「說說看。」

「我打開冰箱喝牛奶，可是無論喝多久都沒有減少，最後肚子變得好撐。」

「這是好夢啊，這樣以後都不必買牛奶耶！為什麼妳媽不想聽？」

「因為她討厭牛奶。」

「是喔。」文藏語重心長地點點頭。「我在想啊，映子，其實你一點也不怪嘛。」

「可是，你剛才說我怪怪的……」

「你的確沒什麼戒心，而且也很愛發呆——」

此時，文藏瞥見我又皺起臉，於是趕緊解釋。

「沒有啦，我覺得這樣也不錯啊。」

「什麼嘛，好奇怪喔。」我說。

「對對，你跟我都怪怪的。」文藏下了註解。

哭過後，我變得昏昏欲睡，失去意識半晌。睜開眼睛時，車子已然靜止，車內的電子鐘浮現「2:33」的藍白色數字。我第一次在這種時間醒來，心頭一陣雀躍。

我扭動身子，駕駛席上的文藏見狀問道：「想上廁所嗎？」在那之前，他似乎一直注視著前方的無垠黑暗。

車子停在休息站的停車場邊緣，前方的柵欄另一側有片山坡。文藏隔著擋風玻璃指向山下一隅的繁華城鎮，說：「那是大阪喔。」

我不想上廁所，但總覺得應該阻止文藏，於是藉故說想出去以爭取時間。我們將後座的毯子取出來裹住身體，背對山坡坐在長椅上。

「你夢見牛奶了嗎？」

文藏吐出白色的氣息。

「什麼都沒夢到。」

「真可惜。」

我躊躇片刻，開口問他：「那你呢？」

「我沒睡著，所以沒做夢。」文藏用手背揉揉眼。「反正就算做夢，也全是些爛夢。」

「怎麼說？」

文藏將手縮回毯子裡，字斟句酌半晌。

「我在草原上奔跑，遍地小花盛開，一望無際。」

「為什麼這是爛夢？」

「花的顏色跟血一樣。」

他的低語嚇到了我。我望向身旁的他，他也與我四目相交，皮笑肉不笑。

「我跑步是為了找便利商店啦，可是草原卻怎麼跑都沒有盡頭。」

文藏站起身，將毯子一圈圈裹在我身上。明明他只穿著毛衣，卻毫不畏懼寒意，徑直遠離照耀停車場的夜燈，仰望夜空。

「你看，天上有很多星星喔。」

我活像一隻毛毯簑衣蟲，起身走到文藏身邊。山上的夜空不受城鎮與高速公路的光害影響，如洞穴般漆黑；然而，當我學文藏默默凝神注視，卻看見天空布滿小小的銀色光點。

「真的耶，好棒喔！」我大聲歡呼。

為了避免被媽媽責罵，我晚上總是早早就寢，而且我們家也不是會去郊外旅行的家庭，因此不曾見過滿天繁星。

「好像什麼星座都看得見呢。」文藏說。「你喜歡什麼動物？」

「兔子。」我答。

「有兔子喔，你看。」

文藏指向天空。可是，天上繁星點點，我根本不知道他說的是哪些星星。他屈身讓視線與我同高，仔細向我解釋。

「你知道獵戶座嗎？」

「不知道。」

「好，那你從我的指尖看過去，那邊是不是有三顆並列的星星？」

「有。」

「它們下面是不是有四顆星星？」

「是那個嗎？連起來是不是這種形狀？」

我執起文藏的手，在他掌心畫出梯形。

「對對，那就是天兔座。」

「真的嗎？」

「真的。天上除了靠著占星術出名的那些東西，也有其他星座。」

「企鵝座跟人面獅身座也有？」

「沒有的話就做一個啊。」

文藏打了個噴嚏，於是我們回到車上。什麼天兔座，那一定是他胡謅的！不過，既然我們共賞了同樣的星星，我也別無所求了。

我和文藏在下交流道不遠處的家庭餐廳道別。清晨四點半，天色未亮。我在家庭餐廳吃義大利麵，文藏則坐在我對面望著它。他只點了咖啡。

吃完早餐後，我獨自坐上家庭餐廳停車場的那輛車。我脫下夾克想還給文藏，但他搖搖頭。

「你穿著吧，我已經不需要這件了。」文藏為坐在副駕駛席的我蓋上毯子，遞來鑰匙。「三十分鐘後，你去找店家幫忙，接下來交給大人處理就好。」

「好。」我說。

「不要因為冷，就隨便發動引擎喔。」

「嗯。」

文藏再次檢查毯子是否確實蓋好我的脖子。

「拜拜囉。」

語畢，他關上副駕駛席的車門。我扭著身子，目送文藏走出停車場，搭上沿路駛來的橘色計程車。我想問他上哪兒去，但問不出口。因為在車上共度的這段時間，我感覺到他並不希望我問這個問題。

之後，事情鬧得雞飛狗跳。

警察聞風而至，我父母也來了。媽媽一見到我便抱緊我大聲哭泣，接著拍打我的頭。

「你這孩子怎麼這樣呀！」

無論誰問我什麼問題，我一律回答：「不知道。」我不知道他的名字，也沒看清楚他的臉，只說他是個男人。媽媽與女警官問我：「有沒有哪裡痛？他有沒有對你做奇怪的事？」當時我壓根不懂她們問這話的用意，只記得心裡暗自反駁：文藏一點也不奇怪。

夾克被警方作為證物查扣，再也沒還我。我只留下記憶，但周遭的大人對此皆避而不談，久而久之，我的記憶也越來越模糊。

文藏始終沒被捕，我想，他一定是去了沒有人找得到他的地方。他前往大阪的目的，想也知道不會是什麼好事。

然而，文藏並不是個會對小學女生施暴的男人；不僅如此，他還仔細聽進我的話，教導我許多事情。算我走運。

我在學校圖書館翻閱圖鑑，發現天兔座的位置跟形狀真的跟文藏所說的一模一樣；那麼，文藏所說的夢境也是真的囉？開滿血色之花的廣大原野。

我父母將車鑰匙妥善收好，以免我又擅自溜進車裡。此後，我只能在週末全家開車去超市時坐進後座。我放任思緒飛馳，祈禱某天這輛車能抵達文藏夢中的原野。

如今回首思量，那夜恍如一場夢境。

一個驀然現身的男子，帶我去西邊兜風。掠過車窗的昏暗風景、街頭的燈火、灑下朦朧微光的深夜商店、銀色繁星，在在如夢似幻。

為什麼我深信自己跟文藏看著同樣的星斗呢？明明它們與我們距離如此遙遠，摸也摸不著。

從小到大，我不知在尋找星座時遭遇多少挫折。「把那顆星星跟那顆星星連在一起。」無論我怎麼解釋，也不知道一同觀星的同伴是否已聽懂我的話，當然也無從確認。這種懊惱，相信許多人都經歷過。

每當這種時候，我會想起和文藏共賞的那片夜空。那一刻我倆心有靈犀，彷彿滿天星斗盡納掌心；只要這種感覺還在，我永遠相信此事可以言傳，亦能意會。

對於我偶爾睡在車後座的行為，有人說我活像小孩子鬧脾氣，也有人憤怒地嚷著：「隨便你！」

我的現任男友說這樣很危險，希望我趕快戒掉。

「睡在那種地方，萬一凍死或中暑怎麼辦？說不定還會遇到偷車賊，或是連人帶車被綁走呢！」

怎麼跟文藏講一樣的話？我笑了。他將抱枕和毯子鋪在沙發上。

「如果你今晚不想跟我一起睡，喏，不然就在這兒將就一下。跟車後座很像吧？」

「哪裡像呀！」我反駁道。

「只好用想像力彌補囉。」他說。

跟他住在一起挺開心的，但是我無法戒掉趁他不在時溜進車後座睡覺的習慣。

文藏沒有說出詳細的目的地。

既然如此，我就等文藏回來吧。總有一天，車子會趁我睡著時發動，醒來時文藏就坐在駕駛席。

屆時，我會跟他聊上許多話。

比如，我真的去埃及看了人面獅身像；現在仍喜歡在車後座進行想像之旅；每每仰望冬季夜空，總不忘尋找獵戶座下方的天兔座；文藏夢中的原野，我也在夢中去過了。

想聊的話，好多好多。

但是，我最想說的是：謝謝你保護我。

文藏想去的，大概是非常陰暗的地方。可是，他並沒有將意外闖入的我帶去那裡，反而萬般呵護，帶我遠離黑暗。

相信嗎？文藏問道。無論他問我多少次，我都會回答：「相信。」

因為，是他教我用細細的線條，與人一同在夜空中畫出美麗的圖畫。

從八歲的冬日起，一團強烈的光輝留駐在我心頭，宛如照耀夜路的淡白色一等星。它位於寒冷的遠方，懷有不可思議的引力，永遠保護著我。

通向永遠的信，第一句

選擇做愛對象的基準只是取決於性別嗎？

那麼，相處時間長短、在一起快樂與否，

又有什麼意義？

岡田勘太郎與寺島良介遇到了一個難題。

兩人又推又拉，體育館倉庫的門依然文風不動。他們在收拾班級表演使用的跳箱跟排球網時，有人把門鎖上了。

起初他們以為是惡作劇。

「喂，別鬧了啦。」

「你在門口吧？開門啦。」

兩人大聲呼喊、敲門，但外頭卻一點動靜也沒有。看來，應該是某人不小心把門鎖上的。

「怎麼辦？」

「你問我，我問誰……」

整間倉庫只有上方有扇採光用的鐵格子窗。園遊會的後夜祭[19]即將到來，校園的嬉鬧聲不絕於耳；日落後，學校將循例舉辦營火晚會跟舞會。

岡田踩著跳箱，從採光窗向外望去。可惜窗戶並沒有對著校園，無法引起任何人的注意。

相較於積極確認周遭環境的岡田，寺島卻只是無精打采地坐在軟墊上。岡田爬下跳箱，無奈地在他身旁坐下。

---

19 日本校慶之類的活動最後一天會舉辦營火晚會，以慶祝活動結束。

寺島誇張地唉聲嘆氣。

「怎麼這麼衰啊。」

「煩耶，我們很快就能出去啦。」

「很快是多快？」

寺島的表情實在很窩囊，岡田忍不住想整他一下。

「我想想喔……明天園遊會補假。」

「所以要等到後天？」

「走運的話是後天，可是現在體育課不是都上耐力跑嗎，所以不會有人來借器材，搞不好要等很久才有人來喔。」

「怎麼辦，我們死定了！」

最好是。

岡田無視寺島的哀號，伸手要拿制服口袋內的手機，不料一聽寺島說：「而且我五點還跟佐代子約在校門口呢！」便倏然停手。

「你們還在交往？」

「我終於遇到懂得欣賞我魅力的女人啦。」寺島得意洋洋地傻笑。「今天藤女不也是園遊會嗎？可是她說後夜祭要來我們學校找我。唉——為什麼偏偏我被困在這兒呀？」

岡田慎重地詢問垂頭喪氣的寺島：

「寺島，你有帶手機嗎？」

「我看起來像有帶嗎？」

寺島穿著粉紅色貓咪布偶裝（不過頭套已經拿下來了）。這齣班級話劇的劇情大意是：一對遇難的男女擊退張牙舞爪的叢林野獸，最後成功生還。其實他們本來想借老虎裝，可是只借得到貓咪裝。

「對了，岡田你呢？你有帶手機吧。」

「很不巧，我把它擱在教室了。」

他悄悄關掉口袋內的手機電源。

「沒有水也沒有食物，我們能在這裡活多久呀？」

為了讓長吁短嘆的寺島閉嘴，岡田只好做做樣子摸索置物架。他找到一大堆遺失的頭帶，於是將頭帶一一綁在一起。穿著貓咪裝的寺島只有兩隻貓手，因此在一旁靜靜觀看。

頭帶變成一條長長的繩子，岡田再度登上跳箱，將它從鐵格子窗的縫隙垂下去。他握著另一端不時拉動，這樣應該比較容易吸引路人注意了吧？

兩人並肩坐在軟墊上，沉默半晌。岡田遵照釣魚的要訣微微拉動頭帶，而寺島則雙手抱膝，將下巴埋在布偶裝毛茸茸的毛皮裡。

天色迅速變暗，岡田將頭帶一端交給寺島，起身打開體育館倉庫的電燈。燈光從小小的窗口灑至室外，然而無人發現倉庫內的兩人，唯有園遊會的熱鬧氣氛不斷向外擴散。

寺島原本還抱著期待豎耳傾聽，後來也失望地又將下巴埋在膝頭，但是手裡仍不忘拉著頭帶。

岡田若無其事地詢問寺島。

「欸，寺島。如果我們一直出不去怎麼辦？」

「你說的『一直』是多久？」

「大概一百天吧。」

岡田當然是抱著開玩笑的心態說出「一百天」，但寺島卻一臉認真地答道：「死定了！」

「如果見不到佐代子，我就活不下去了。」

是喔是喔，你的死法不是餓死，而是得相思病而死啊？岡田忽然心頭一狠，暗想不如用寺島手中的頭帶勒死他，但見了身旁的布偶裝寺島那副蠢到不行的德性，殺意頓時滅了一大半。岡田心知肚明，剛才的狠勁全是自己的嫉妒心作祟。

不用說，寺島完全不知道身旁的男人心中正暗潮洶湧。

佐代子啊，她說跟我聊天時最快樂耶。上課時我也常接到她的簡訊呢。她每晚都打電話來，這點我是有點招架不住啦。唉——萬一五點還是出不去，那不就完了嗎？她會不會誤以為我放她鴿子？有沒有什麼辦法能聯絡佐代子呀？欸、欸，岡田。

他連珠砲似的說個沒完。「吵死了，閉嘴。」岡田沒好氣地敷衍他，他卻一個字也聽不進去。

「話說回來啊，萬一真的得在這裡過夜，那可就慘了。」

「哪裡慘？」

岡田心頭一震，而寺島只是天真無邪地張開雙臂，比比四周。

「睡在這裡好像很冷耶。」

「裹在軟墊裡不就得了。」

「對喔。等我一下。」

寺島將頭帶遞給岡田，開始移動跳箱、疊起軟墊。岡田拉著頭帶，一邊望著貓布偶裝男忙東忙西。

「好，完成了。」

寺島站在軟墊跟跳箱組合而成的窩前面，得意洋洋地挺起胸膛。軟墊層層相疊，頂端那塊墊子被捲成枕頭的形狀；跳箱穩穩地擋在軟墊前，遮住窗外吹來的風。

「這樣就沒問題了，你躺躺看吧。」

「躺什麼躺，現在才傍晚耶。」

「你躺就是了嘛。」

「你怎麼不躺？」

「我有毛皮，所以沒關係。」

寺島將岡田拉過去示意他躺好，接著將事先擺在旁邊的軟墊蓋在他身上。軟墊實在很重，而且又有濃濃的汗臭味。

「怎麼樣？」

寺島笑咪咪地端詳岡田。

「嗯，還不賴。」

岡田望著昏暗的天花板答道。「我就說吧！」寺島甚是滿意。他前一刻還吵著要見女人，此刻卻忘得一乾二淨，對自己做出來的床鋪沾沾自喜。

反正不出多久，他又會佐代子長佐代子短地吵個不停。這傢伙為什麼這麼笨呢？岡田躺著拉動頭帶，悄悄嘆氣。

為什麼我成天跟笨寺島混在一起呢？其中的原因，岡田再清楚不過。

岡田和寺島住在同一個社區，寺島是在小學三年級時和母親一同搬來的。

寺島很快就和岡田的玩伴打成一片，因為他開朗無比、跑得異常快速、長相不算醜，而且絕不說別人壞話；至於讀書成績則和現在一樣不佳，不過小學生只要運動神經好就夠了。如此這般，寺島在班上頗有人緣，男女生都喜歡他。

岡田是個運動念書都很優秀的小學生，因此起初只是冷冷地觀察寺島這個新人，不像其他人容易被新奇的事物吸引。他懷著傲氣與小孩子特有的地盤觀念，等著寺島露出馬腳。

但岡田萬萬沒想到，寺島真的是個好人。

在課堂上被老師點名時，他會大剌剌地回答：「我不會！」班上的女生和男生快吵起來時，他會算準時機起身說：「啊——我屁股好像癢癢的。」在教室玩過頭，額頭被柱子撞出一個大洞而嚇哭旁邊的女生時，他會血流如注地笑道：「沒事沒事，冷靜點。」

連岡田都不得不承認，只要有寺島在，平凡無奇的教室或放學後的空地，一眨眼就變成璀璨的王國。

寺島很擅長製作祕密基地，簡直到了天才的地步；他釣的淡水龍蝦比誰都多；他會偷偷燃起火堆，把悄悄偷來的蕃薯丟進去；他會將烤好的蕃薯當作食糧，提議大家出外冒險。

岡田拋下當初的心結，對寺島敞開胸懷。不知怎的，寺島也最喜歡岡田，開口閉口都是「阿勘、阿勘」。即使岡田在家裡打電動，寺島也一定會邀他出來玩。

「因為阿勘不在就不好玩了！」寺島說。

只有一次，岡田難得看見寺島獨自佇立在河邊。煙雨濛濛，他任由雨水打在身上，一逕望著河流。

岡田出門幫媽媽跑腿買醬油，卻在歸途看到這副景象。岡田見他好半天動也不動，便走下河堤問他：「你在幹嘛啊？」

寺島回過頭，臉上罕見地沒有笑容，濕漉漉的髮絲落下了一滴雨水。

「阿勘，我跟你說喔，我剛才叫爸爸滾回去。」

岡田一頭霧水。

「他難得來找我，我卻……可是，可是媽媽不想見到他。爸爸不會再來了，誰教我叫他滾回去。可是我……」

話語開始無限迴圈，寺島不知該在哪兒中斷才好，說著說著竟放聲大哭。岡田從未見過同齡男生嚎啕痛哭，這回他真的嚇到了。

「我是不是再也見不到爸爸了？」

岡田看得出寺島非常傷心，於是姑且先為他撐傘，拼命想著該怎麼安慰他，卻詞窮理屈。

當天岡田一直陪寺島站在雨中的河邊，接著和他一同回到社區。

隔天，寺島又照常跑到岡田家猛按門鈴，大喊：「阿勘，一起上學吧！」升上國中後，岡田與寺島羞於直呼對方外號而改以姓氏互稱，但感情依然沒變。雖然寺島不再每天邀岡田出來玩，但每買A片必帶去岡田家，因為他家有台用壓歲錢買的中古電視錄影機[20]。

寺島對成熟女性沒興趣，比較喜歡護士類的片子。不久，我跟寺島都會離開這座城鎮吧？寺島是不是會去找他父親？岡田腦中隱約浮現這種想法。

岡田告別處男是在高一那一年，對象是鎮上便利商店的打工夥伴。她年齡稍長，不僅和岡田聊得來，兩人在一起也很快樂，於是自然而然走到那一步。岡田一方面心想：「戀愛就是這麼回事啊。」一方面又覺得哪裡怪怪的。

如果只是想要聊得來也相處得來的對象，找寺島不就好了？對寺島而言，岡田應該也是同等地位；然而，他卻跟女人做愛，而不跟相處許久的寺島上床，這不是很奇怪嗎。到頭來，選擇做愛對象的基準只是取決於性別嗎？那麼，相處時間長短、在一起快樂與否，又有什麼意義？

他鼓起勇氣試著想像寺島的裸體。面對男性兒時玩伴的身體，他似乎有點興奮，但又

---

20 テレビデオ，將電視與錄影機合為一體的電子產品，一九七五年由日本索尼開發販售。

好像不太興奮。究竟是潛意識阻止自己對男人產生興趣，抑或真的沒有興趣，他實在搞不清楚。

當然，他也知道想這種事情好像怪怪的，因此逼自己盡量不去想。他想知道其他男女有沒有類似的煩惱，卻不知該向誰開口。

交往半年後，女方離鄉去上大學，他們的關係也自然而然變淡，終至消失。女方傳簡訊、打電話給岡田幾次，而岡田也回覆幾次，就這樣。岡田心中又想：「戀愛就是這麼回事啊。」

今年梅雨季時，寺島跟佐代子順利交往。其實寺島根本沒必要公告周知，但他還是興高采烈向岡田獻寶，因此岡田才知道此事。

「你不覺得怪怪的嗎？」岡田問。

「不會啊，我覺得很棒。」寺島答。

岡田心想問這傢伙也無濟於事，於是只回答：

「是喔，那就好。」

寺島哼著歌，剝開炒麵麵包的保鮮膜。

岡田知道他之後還會興奮一陣子，但想不到他們竟然到了秋天還沒分手。寺島雖然人緣好，卻不受女孩青睞，因為他笨到沒藥醫。升上高中後，女生的喜好會變得較為多樣化，很多人認為太樂天的人可以做朋友，但不適合當男友。

岡田已經厭倦安慰被甩得慘兮兮的寺島，因此應該慶幸寺島的戀情順利才對——他如此說服自己，如此自欺欺人。

岡田一再想起寺島小時候唯一一次的悲傷臉龐。在那場雨中，岡田對寺島的悲痛感同身受，但這段記憶卻變得有點苦中帶甜。

最重要的話語，岡田總是無法對寺島說出口。無論是他想聽的，或是他不想聽也想像不到的話語，全在岡田體內凝結為一塊疙瘩。

「慘了！我真的慘了！」

寺島的叫聲驚醒岡田。他稍微睡了一會兒，這幾天忙著準備園遊會，弄得岡田睡眠不足。

「幹嘛啦，怎麼了？」

岡田撐起身子，從身上滑落的軟墊依舊飄著一股乾燥植物被擰斷的味道。

寺島在狹窄的體育館倉庫內心神不寧地來回踱步，手上還握著頭帶尾端。頭帶變成一條白色細線，搖晃著向窗口延伸而去。外頭一片漆黑，校園傳來音質低劣的流行樂跟嬉鬧聲。

「喔，已經過五點啦。」

「是啊，佐代子一定生氣啦！還有更糟的事呢，岡田！」

「你在吵什麼啦。」

「我想尿尿。」

岡田坐在軟墊上仰望寺島。

「憋住。」

「憋一下是無所謂啦，」寺島雙手夾在胯下，縮起粉紅色的身體。「可是我憋不了更久！」

「管你的。」

「你也太狠心了吧！」

他的貓手朝岡田一指。以布偶裝的構造來說，只伸出食指是不可能的任務，因此怎麼看都是伸出手刀。

「我不是幫你做了舒適的床鋪嗎？你剛才不是睡得很甜嗎？這次換你來幫我做廁所了！勸你別自命清高，在這兒住上一百天，我看你會不會想尿尿！」

寺島憋尿憋得精神崩潰了。

「我轉身看別的地方，你在牆角解決吧。」

「不要！」

「我大不了連耳朵也塞住嘛。」

「那拉鍊呢？我自己沒辦法拉拉鍊啊。」

寺島指指布偶裝的背部。

「自己看著辦。」

岡田快速說完，轉身背對寺島。當然，這全是為了瞞著寺島傳簡訊向朋友求救，他可不希望寺島真的尿在牆角。

岡田瞥了一眼寺島和拉鍊奮戰的模樣，接著迅速拿起手機。

「啊！」

寺島的叫聲嚇得岡田整個人彈起來。他誤以為露出馬腳，決心轉身好好面對寺島，不料寺島卻在跳箱上抓著鐵窗。

「佐代子，幫我開一下那扇門！話說那傢伙是誰啊！」

岡田擱下沒寫完的簡訊，將手機塞回口袋。他踩上跳箱站在寺島旁邊，小小的跳箱只容得下他一隻腳，他只好抓著鐵窗窺向外面。

穿著藤女制服的女學生和岡田他們學校的男學生佇立在倉庫後方暗處，一臉訝異地仰望採光窗。

她就是傳說中的佐代子啊。岡田望向這名長髮大眼的女孩，暗想：難怪，寺島就喜歡這種可愛型的女生。

「良介，你怎麼會在那裡？」

「我被人關起來啦。你剛才在那裡幹嘛？」

「這個嘛……」

佐代子面向光線，露出邪惡、美麗至極的微笑。

「因為你一直不來，所以我才請這個人……」佐代子輕瞥身旁的男學生。「內藤同學，為我帶路呀。」

這名佐代子看了胸口的年級章跟名牌才知道身分的「內藤同學」，似乎是三年級生。有點吊兒郎當的他，津津有味地看著寺島跟佐代子拌嘴。岡田看得出來，他和寺島是不同型的男生，五官也很端正。

「他幹嘛特地把你帶到離營火晚會這麼遠的倉庫？」不知是氣昏頭或想藉機遺忘尿意，寺島在跳箱上猛跳腳。「而且你們還接吻呢！哪有人帶路帶到親起來的！」

「才沒有呢。」

「我看見了！」

「討厭──良介生氣了，好凶喔──」佐代子催促內藤：「走吧。」

「等等等等，等一下！」寺島從鐵窗伸出胳膊。岡田不知該笑還是該同情，最後好不容易才裝出撲克臉。

「什麼『走吧』，你怎麼這樣啊！」

「誰教你誤會我，而且還凶巴巴的。」

「我不是說我們被關在這裡嗎？你想見死不救？」

「開鎖後你一定會罵我，對吧？」

「那還用說。」

「那我不開──」

佐代子作勢走過窗下，寺島見狀趕緊猛揮手。

「好啦、好啦！我不生氣，拜託你開門吧。」

「少來──」

「我沒騙你。好嘛，快點開門，我快尿出來了。」

寺島的哀求令佐代子遲疑了一會兒，但是——

「不要，你還是沒還我清白。」這是她的結論。「拜拜。」

內藤似笑非笑地瞥了寺島一眼，尾隨佐代子而去，但走沒幾步又折回窗下。

「欸。」內藤說。

「幹嘛。」寺島沒好氣地答道。就岡田看來，寺島正強忍淚水，屈辱與悲傷令他表情一僵。

「你想尿尿？」

「想啊！」

「喏，拿去。」

內藤將手上的運動飲料瓶扔過去。寺島反射性地想接，可惜貓手不爭氣，瓶子掉在地上。

「與其給我這個，還不如幫我開門。」

「若是我開門，你一定會衝過來揍我。」內藤彎腰撿起空瓶，用從窗內垂下來的頭帶綁起來。「拜啦。」

岡田拉下寺島背後的拉鍊，尷尬地爬下跳箱。寺島吸著鼻子，一邊將空瓶拉上來。背對寺島的岡田，聽見液體灌進空瓶的悲哀聲響。

「我絕對要逼佐代子跟那個男的把這個喝下去。」

寺島低聲嘟囔，語氣中充滿怨念與憤怒。岡田回過頭，盡量不去看擱在跳箱後面的寶特瓶。

「算啦，瞧佐代子那樣子，至今一定偷吃好幾次了。天涯何處無芳草嘛。」

「岡田──」寺島垂下眉毛。「我到處碰壁，好不容易才交了一個女友，為什麼現在又被甩了？」

我才想問為什麼吧，岡田心想。為什麼我非得目睹這種尷尬的場面？為什麼我非得逼自己安慰寺島？還有，為什麼我在幸災樂禍？

「因為你是個傻傻的濫好人啊。」

岡田努力裝得溫柔體貼，但又不顯得反應過度。

抱歉啊，寺島，我就是死性不改。裝成你的朋友，卻又不是你的朋友；我從來不曾為你祝福。如果某天你結婚了，我肯定會若無其事地去你家，嘴上說著恭喜，手裡送著祝賀新婚的時鐘，表面上和你太太相談甚歡，心裡卻在你的新居釘滿五寸釘，詛咒著：離婚吧！離婚吧！離婚吧！

其實，岡田也很不想這樣。但是，他還是會時常拜訪寺島家，將被幸福能量扳倒的五寸釘重新釘好。

望著吸著鼻子的寺島，岡田反而比他更想哭。

他不能哭，但他希望總有一天，有個女孩能明白寺島的好；岡田固然詛咒寺島未來的婚姻生活，但他也同樣希望寺島能幸福。真不可思議。更不可思議的是，這種不可思議的情感居然得以名狀。

岡田蹲在寺島身旁，將他背後的拉鍊拉上，安撫似的拍拍粉紅色毛皮。他拍著寺島顫抖的雙肩，暗忖：我在逃避現實嗎？假如我真的無法和女人上床，那麼或許我要的人是寺島；反過來說，說不定我認為寺島比較好，其實也只是錯覺罷了。

不過，岡田不打算追究下去。他還不敢正視自己的內心，也不認為探究內心有助於釐清自己的感情。

他只明白，自己對寺島的祝福與詛咒已融為一體，總是瘋狂地在他胸口翻攪。

岡田與寺島再度並肩坐在軟墊上。後夜祭的司儀透過麥克風對著校園吶喊：「接下來，是我們今天最後一首曲子！」

此時，岡田口袋裡的手機也正巧響了。

「喂，什麼聲音？」寺島抬頭說道。岡田尷尬地掏出手機，按下通話鍵說：「喂。」

「終於打通了。喂，你現在在哪裡？」聽筒響起同班同學精神奕奕的嗓音。「後夜祭快結束囉。」

「我們被關在體育館倉庫。嗯，嗯，寺島也在。能不能來開一下門？是喔，麻煩你囉。」

他闔上手機，塞回口袋。寺島活像閻羅王似的大吼道：

「岡田！」

「幹嘛。」

「你不是有帶手機嗎！」

「嗯，好像有帶耶。」

「什麼『好像』，好像個頭！你在想什麼啊！」

「你想知道我在想什麼嗎？」

寺島打量岡田，氣燄似乎收斂了些。

「你該不會……」寺島說。岡田靜靜等待。

「因為自己跟女人分手了，所以才不爽我交女友？」

最好是啦！岡田冷冷地對寺島的同情目光報以白眼。

「啥，女友？你說的女友，是剛才倉庫後面那個女生嗎？」

「咕啊——」寺島怪叫一聲。「對了，我差點忘了！可惡，快點放我出去啊！」

寺島衝到門前，用力拍門。

「好啦好啦，我開就是嘛。」

門的另一側傳來同班同學熟悉的嗓音。鑰匙應聲轉動。

「你們到底在搞什麼飛機啊？」

寺島衝過苦笑的同學身邊，拔腿狂奔。

「佐代子！你給我解釋清楚啊王八蛋！」

粉紅色貓咪仰天長嘯，消失在校園另一端。岡田和同班同學站在門口，目送寺島離去。

「他哪根筋不對勁？」

「別理他。謝啦，得救了。」

岡田關燈，關上體育館倉庫的門。至於寶特瓶，他盡量裝作沒看見。

「我去借鑰匙時，阿山跟我道歉，說他完全沒察覺你們還在裡面。為什麼你不馬上打電話求救？」

「因為收訊不好。」

佐代子似乎早就回去了。寺島在校園內怒吼，準備返家的學生跟逗留在校內的學生望著他笑道：「有完沒完啊。」營火依然冒著小小的火苗。

岡田想像自己跟寺島在百日後被發現的模樣。

「園遊會真好玩。」同班同學說。

「是啊，很好玩。」岡田說。

寺島一看到岡田，旋即哭喪著臉衝過來嚷道：「岡田，我跟你說，佐代子真的很過分耶──」

此時，岡田這才首次在內心說道：「我喜歡你。」

你是北極星

作　　者　三浦紫苑
譯　　者　林佩瑾
封面繪圖　はやしはなこ
封面設計　莊謹銘
內頁排版　高巧怡
行銷企畫　林瑀、陳慧敏
行銷統籌　駱漢琪
業務發行　邱紹溢
營運顧問　郭其彬
責任編輯　吳佳珍
總 編 輯　李亞南
出　　版　漫遊者文化事業股份有限公司
地　　址　台北市105松山區復興北路331號4樓
電　　話　（02）27152022
傳　　真　（02）27152021
服務信箱　service@azothbooks.com
營運統籌　大雁文化事業股份有限公司
地　　址　台北市105松山區復興北路333號11樓之4
劃撥帳號　50022001
戶　　名　漫遊者文化事業股份有限公司
二版一刷　2022 年 5 月
定　　價　新台幣350元

ISBN　978-986-489-636-3

國家圖書館出版品預行編目(CIP)資料

你是北極星 / 三浦紫苑著 ; 林佩瑾譯. -- 二版. -- 臺北市 : 漫遊者文化事業股份有限公司出版 : 大雁文化事業股份有限公司發行, 2022.05
264 面 ; 14.8×21 公分
譯自 : きみはポラリス
ISBN 978-986-489-636-3(平裝)

861.57　　111006226

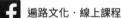